Die Hunde sind schuld. Beim Spaziergang mit der Queen rennen sie los, um den allwöchentlich in einem der Palasthöfe parkenden Bücherbus der Bezirksbibliothek anzukläffen. Ma'am ist zu gut erzogen, um sich nicht bei dem Bibliothekar zu entschuldigen, leiht sich ebenfalls aus Höflichkeit ein Buch aus – und kommt auf den Geschmack. Von da an deckt sie sich jede Woche mit Lesestoff ein und lernt den Küchengehilfen Norman kennen, mit dem sie sich fortan über ihre Lektüren unterhält (wie übrigens auch mit dem verdutzten französischen Präsidenten) …

»Zwei Stunden pures Leseglück!«

Elke Heidenreich in LESEN!

»Eine königlich amüsante Geschichte von Menschen und Büchern, so klug und schön und wahr …«

Denis Scheck in DRUCKFRISCH

»Geistreich, voller Sympathie für seine Heldin - und zeigt ganz nebenbei die subversive Kraft von Literatur.«

Angela Gatterburg, Spiegel Special

»Von grandioser Komik, von großer psychologischer Finesse und von Ingo Herzke kongenial übersetzt.«

Franziska Augstein, Süddeutsche Zeitung

Alan Bennett
Die souveräne Leserin

Aus dem Englischen
von Ingo Herzke

Verlag Klaus Wagenbach Berlin

Auf Windsor gab es ein abendliches Staatsban-
kett, und als der französische Präsident seine Posi-
tion neben Ihrer Majestät eingenommen hatte,
reihte sich die königliche Familie dahinter auf, und
die Prozession setzte sich langsam in Richtung
Waterloo Chamber in Bewegung.

»Wo wir jetzt unter uns sind«, sagte die Queen,
nach rechts und links lächelnd, während sie durch
die glanzvolle Gesellschaft glitten, »kann ich Sie –
was mir schon lange auf dem Herzen liegt – nach
dem Schriftsteller Jean Genet ausfragen.«

»Ah«, sagte der Präsident. »Oui.«

Die *Marseillaise* und *God Save The Queen* unter-
brachen ihre Unterhaltung, doch als sie beide Platz
genommen hatten, wandte sich Ihre Majestät an
den Präsidenten, um den Faden wieder aufzuneh-
men.

»Sicher, er war homosexuell und ein Sträfling,
aber war er tatsächlich so schlimm, wie man ihn
darstellte? Oder besser gesagt«, und damit ergriff sie
ihren Suppenlöffel, »war er tatsächlich so gut?«

Da der Präsident auf Konversation über einen
kahlköpfigen Skandalschriftsteller nicht vorbereitet
war, hielt er hektisch nach seiner Kulturministerin

Ausschau. Doch die wurde gerade vom Erzbischof von Canterbury angesprochen.

»Jean Genet«, wiederholte die Queen hilfsbereit. »Vous le connaissez?«

»Bien sûr«, antwortete der Präsident.

»Il m'intéresse«, sagte die Queen.

»Vraiment?« Der Präsident ließ den Löffel sinken. Das würde ein langer Abend werden.

Die Hunde waren schuld. Sie waren Snobs, und üblicherweise liefen sie nach einem Gartenausflug die Vordertreppe hinauf, wo ihnen ein Bediensteter die Tür öffnete. Heute jedoch rannten sie aus irgendeinem Grund über die Terrasse, kläfften wie besessen, hoppelten die Stufen wieder hinunter und bogen um die Hausecke, wo man sie in einem der Höfe etwas anbellen hörte.

Es handelte sich um den Bücherbus der Bezirksbibliothek der City of Westminster, einen großen Lieferwagen, der nach Spedition aussah und neben den Abfalleimern vor einer der Küchentüren parkte. Diesen Teil des Palastes bekam sie nicht oft zu Gesicht, und ganz bestimmt hatte sie den Bus noch nie hier gesehen, die Hunde anscheinend genauso wenig, daher ihr Gekläffe; nachdem die Queen also vergeblich versucht hatte, die Tiere zu beruhigen, stieg sie die Trittstufen in den Lieferwagen empor, um sich zu entschuldigen.

Der Fahrer saß mit dem Rücken zu ihr an einem Tischchen und klebte ein Etikett auf ein Buch, und der anscheinend einzige Entleiher war ein dünner, rothaariger Junge im weißen Overall, der im Mittelgang hockte und las. Keiner von beiden nahm Notiz von ihr, also räusperte sie sich und sagte: »Bitte entschuldigen Sie diesen schrecklichen Lärm«, worauf der Fahrer so hastig aufstand, dass er mit dem Kopf an die Nachschlagewerke stieß und der Junge im Gang sich aufrappelte und dabei *Photographie & Mode* umwarf.

Sie steckte den Kopf aus der Tür. »Wollt ihr jetzt wohl still sein, ihr dummen Dinger« – was dem Fahrer und Bibliothekar Zeit gab, sich zu sammeln, und dem Jungen, die Bücher aufzuheben, genau wie sie es beabsichtigt hatte.

»Man hat Sie hier noch nie gesehen, Mr. ...«

»Hutchings, Eure Majestät. Jeden Mittwoch, Ma'am.«

»Tatsächlich? Das wusste ich gar nicht. Kommen Sie von weit her?«

»Bloß aus Westminster, Ma'am.«

»Und Sie sind ...?«

»Norman, Ma'am. Seakins.«

»Und wo arbeiten Sie?«

»In der Küche, Ma'am.«

»Ach. Haben Sie da viel Zeit zum Lesen?«

»Eher nicht, Ma'am.«

»Genau wie ich. Aber wenn man schon einmal hier ist, sollte man wohl auch ein Buch ausleihen.«

Mr. Hutchings lächelte hilfsbereit.

»Können Sie irgendetwas empfehlen?«

»Was lesen Eure Majestät denn gern?«

Die Queen zögerte, denn – um ehrlich zu sein – sie wusste es nicht. Sie hatte sich nie sehr fürs Lesen interessiert. Natürlich las sie, wie man das eben tat, aber Bücher gern lesen, das überließ sie anderen. Das war ein Hobby, und ihr Beruf brachte es mit sich, keine Hobbys zu haben. Jogging, Rosenzüchten, Schach oder Bergsteigen, Torten dekorieren, Modellflugzeuge. Nein. Hobbys bedeuteten Vorlieben, und Vorlieben mussten vermieden werden; sie schlossen bestimmte Menschen aus. Man hatte keine Vorlieben zu haben. Ihr Beruf verlangte, Interesse zu zeigen, aber keine Interessen zu haben. Und außerdem war Lesen nicht Tun. Sie war ein Mensch der Tat. Also ließ sie den Blick durch den büchergesäumten Lieferwagen schweifen und spielte auf Zeit. »Darf man denn einfach so ein Buch ausleihen? Auch ohne Mitgliedskarte?«

»Kein Problem«, sagte Mr. Hutchings.

»Man ist ja schon im Rentenalter«, sagte die Queen, als mache das einen Unterschied.

»Ma'am können bis zu sechs Bücher ausleihen.«

»Sechs? Um Himmels willen.«

Inzwischen hatte der rothaarige junge Mann seine Wahl getroffen und das Buch dem Bibliothekar zum Abstempeln hingelegt. Die Queen versuchte weiter Zeit zu gewinnen und nahm es in die Hand.

»Was haben Sie sich denn ausgesucht, Mr. Seakins?« Sie hatte erwartet, nun, im Grunde wusste sie nicht genau, was sie erwartet hatte, aber das jedenfalls nicht: »Oh. Cecil Beaton. Kannten Sie ihn?«

»Nein, Ma'am.«

»Nein, natürlich nicht. Dafür sind Sie zu jung. Er trieb sich ja dauernd hier herum und photographierte unablässig. Ein bisschen aufbrausend. Dahin stellen, hierhin stellen. Klick, klick. Jetzt gibt es also ein Buch über ihn?«

»Mehrere, Ma'am.«

»Tatsächlich? Ich nehme an, früher oder später wird über jeden Menschen geschrieben.«

Sie blätterte das Buch durch. »Wahrscheinlich ist irgendwo ein Bild von mir darin. Ach ja. Das. Er war natürlich nicht nur Photograph, sondern auch Bühnenbildner. *Oklahoma!* und solche Sachen.«

»Ich glaube, es war *My Fair Lady*, Ma'am.«

»Ach wirklich?«, sagte die Queen, die Widerspruch nicht gewohnt war. »Wo, sagten Sie noch, arbeiten Sie?« Sie legte das Buch zurück in die großen roten Hände des Jungen.

»In der Küche, Ma'am.«

Sie hatte ihr Problem immer noch nicht gelöst, denn sie wusste, wenn sie ohne Buch ginge, bekäme Mr. Hutchings den Eindruck, seiner Bibliothek mangele es an irgendetwas. Dann entdeckte sie auf einem Regal mit recht zerlesenen Bänden einen bekannten Namen. »Ivy Compton-Burnett! Das kann ich doch lesen.« Sie zog das Buch heraus und reichte es Mr. Hutchings zum Abstempeln.

»Was für ein unverhofftes Vergnügen!« Sie drückte das Buch wenig überzeugend an die Brust, bevor sie es aufschlug. »Ach. Zum letzten Mal ist es 1989 ausgeliehen worden.«

»Sie ist keine besonders populäre Schriftstellerin, Ma'am.«

»Warum denn nicht? Ich habe sie schließlich geadelt.«

Mr. Hutchings ließ unerwähnt, dass der Weg in die Herzen des Publikums nicht unbedingt über solche Titel führt.

Die Queen besah sich das Porträtphoto auf der hinteren Umschlagklappe. »Ja. An diese Frisur erinnere ich mich deutlich, so eine Welle wie aus Pastetenteig, die um den ganzen Kopf ging.« Sie lächelte, und Mr. Hutchings wusste, der Besuch war zu Ende. »Auf Wiedersehen.«

Er neigte den Kopf, wie man es ihm in der Bibliothek aufgetragen hatte, sollte dieser Fall eintreten, und die Queen verschwand in Richtung Garten, gefolgt von den nun wieder wild kläffenden Hunden, während Norman mit seinem Cecil-Beaton-Band einem Koch auswich, der bei den Abfalleimern Zigarettenpause machte, und sich wieder in die Küche begab.

Als er seinen Bücherwagen geschlossen hatte und wegfuhr, dachte sich Mr. Hutchings, dass ein Roman von Ivy Compton-Burnett keine leichte Lektüre war. Er selbst war nie sehr weit darin gekommen, und er vermutete ganz zutreffend, beim Ausleihen des Buches habe es sich vor allem um eine höfliche Geste gehandelt. Doch er wusste diese Geste zu schätzen, und das nicht nur als Zeichen guter Manieren. Der Stadtrat drohte ständig, der Bibliothek die Mittel zu kürzen, und eine so namhafte und distinguierte Entleiherin (oder Benutzerin, wie der Stadtrat sie nannte) konnte da sicher nicht schaden.

»Wir haben einen Bücherbus«, sagte die Queen abends zu ihrem Gatten. »Kommt jeden Mittwoch.«

»Feine Sache. Es gibt noch Wunder.«

»Erinnerst du dich an *Oklahoma!*?«

»Ja. Haben wir in unserer Verlobungszeit angeschaut.« Bemerkenswert, wenn man es bedachte, was für ein schneidiger blonder Junge er damals gewesen war.

»War das Cecil Beaton?«, fragte die Queen.

»Keine Ahnung. Hab den Burschen nie leiden können. Grüne Schuhe.«

»Duftete herrlich.«

»Was hast du da?«

»Ein Buch. Das ich ausgeliehen habe.«

»Tot, nehme ich an.«

»Wer?«

»Dieser Beaton.«

»Aber ja. Alle sind tot.«

»War aber ein tolles Stück.«

Und mit einer mürrischen Version von *Oh, what a beautiful morning* auf den Lippen ging er zu Bett, während die Queen ihr Buch aufschlug.

In der folgenden Woche hatte sie das Buch eigentlich einer ihrer Hofdamen zum Zurückbringen geben wollen, aber als sie von ihrem Privatsekretär aufgehalten wurde, der ihren Terminplan weitaus detaillierter durchsprechen wollte, als sie es für nötig hielt, konnte sie das Vorgespräch zur Besichtigung eines Verkehrsforschungsinstituts durch die unverhoffte Erklärung beenden, dass heute Mittwoch sei und sie daher ihr Buch im Bücherbus umtauschen müsse. Ihr Privatsekretär Sir Kevin Scatchard, ein äußerst gewissenhafter Neuseeländer, von dem noch große Dinge erwartet wurden, blieb nichts anderes übrig, als seine Papiere zusammenzusuchen und sich zu fragen, wozu Ma'am einen mobilen Bücherbus brauchte, wo sie doch selbst mehrere fest installierte Bibliotheken ihr eigen nannte.

Ohne die Hunde war ihr Besuch diesmal wesentlich ruhiger, doch auch diesmal war Norman der einzige andere Gast.

»Wie fanden Sie es denn, Ma'am?«, fragte Mr. Hutchings.

»Dame Ivy? Ein bisschen trocken. Und alle reden genau gleich, ist Ihnen das auch aufgefallen?«

»Um ehrlich zu sein, Ma'am, bin ich nie über ein paar Seiten hinausgekommen. Wie weit sind Eure Majestät denn gelangt?«

»Na, bis zum Ende. Wenn ich ein Buch anfange, dann lese ich es auch bis zum Schluss. So bin ich erzogen worden: Bücher, Butterbrote, Kartoffelbrei – was auf dem Teller ist, wird aufgegessen. Das war schon immer meine Philosophie.«

»Es war übrigens gar nicht nötig, das Buch zurückzubringen, Ma'am. Wir verkleinern unsere

Bestände, und alle Bücher auf diesem Regal sind umsonst.«

»Sie meinen, ich kann es behalten?« Sie drückte das Buch an sich. »Ich bin trotzdem froh, hergekommen zu sein. Guten Tag, Mr. Seakins. Schon wieder Cecil Beaton?«

Norman zeigte ihr das Buch, das er gerade ansah, diesmal etwas über David Hockney. Sie blätterte es durch und betrachtete ungerührt die Hinterteile junger Männer, die sich aus kalifornischen Swimmingpools hievten oder nebeneinander in ungemachten Betten lagen.

»Einige davon«, sagte sie, »sehen gar nicht richtig fertig aus. Das hier zum Beispiel ist doch ganz offensichtlich verschmiert.«

»Ich glaube, das war damals sein Stil, Ma'am«, sagte Norman. »In Wirklichkeit ist er ein sehr guter Zeichner.«

Die Queen sah Norman erneut an. »Sie arbeiten wirklich in der Küche?«

»Ja, Ma'am.«

Sie hatte eigentlich nicht vorgehabt, noch ein Buch auszuleihen, kam aber nun zu dem Entschluss, das sei womöglich leichter, als es nicht zu tun, obwohl sie beim Gedanken an die Buchwahl genauso ratlos war wie letzte Woche. Im Grunde wollte sie gar kein weiteres Buch und ganz bestimmt kein weiteres von Ivy Compton-Burnett, denn das schien ihr nun wirklich zu anstrengend. Es war also ein glücklicher Zufall, dass ihr Blick auf eine Neuausgabe von Nancy Mitfords *Englische Lieb-*

schaften fiel. Sie nahm das Buch in die Hand. »Hat ihre Schwester nicht diesen Mosley geheiratet?«

Mr. Hutchings sagte, er glaube schon.

»Und die Schwiegermutter einer weiteren Schwester war meine Oberhofmeisterin?«

»Darüber weiß ich nichts, Ma'am.«

»Und dann war da natürlich noch dieser eher traurige Fall, die Schwester, die ein Techtelmechtel mit Hitler hatte. Und eine wurde Kommunistin. Und dann, glaube ich, gab es noch eine andere. Aber das hier ist also Nancy?«

»Jawohl, Ma'am.«

»Gut.«

Selten konnten Romane so gute Verbindungen aufweisen wie dieser, und mit entsprechender Überzeugung reichte die Queen Mr. Hutchings das Buch zum Abstempeln.

Englische Liebschaften erwies sich als auf seine Weise bedeutsamer Glücksgriff. Hätte Ihre Majestät sich erneut für trockene Lektüre entschieden, ein Frühwerk von George Eliot beispielsweise oder ein Spätwerk von Henry James, wäre sie als unerfahrene Leserin womöglich endgültig von der Literatur abgeschreckt worden, und dann gäbe es jetzt nichts zu erzählen. Bücher, so hätte sie gefolgert, bedeuteten Arbeit.

Von diesem jedoch war sie bald gefesselt, und als der Herzog von Edinburgh mit seiner Wärmflasche an ihrer Schlafzimmertür vorüberging, hörte er sie laut auflachen. Er steckte den Kopf durch die Tür. »Alles in Ordnung, altes Mädchen?«

»Natürlich. Ich lese.«

»Schon wieder?« Und er zog kopfschüttelnd ab.

Am nächsten Morgen hatte sie leichten Schnupfen, und da keine Termine anstanden, blieb sie im Bett und sagte, sie spüre eine Grippe im Anzug. Das war ungewöhnlich und außerdem unwahr; in Wirklichkeit wollte sie nur in ihrem Roman weiterkommen.

»Die Queen hat eine leichte Erkältung«, wurde der Nation mitgeteilt, nicht mitgeteilt wurde ihr jedoch, was die Queen selbst noch nicht wusste, dass dies nämlich nur die erste einer ganzen Reihe von Ausreden war, manche von ihnen mit weitreichenden Folgen, die ihre fortgesetzte Lektüre bald erfordern würde.

Am nächsten Tag hielt die Queen eine ihrer regulären Sitzungen mit ihrem Privatsekretär ab, und eines der Themen dabei waren die ›Mitarbeiter‹, wie das heute hieß.

»Zu meiner Zeit«, hatte sie gesagt, »nannte man sie ›Personal‹.« Nein, eigentlich nicht. Eigentlich nannte man sie ›Dienstboten‹. Auch diese Bezeichnung erwähnte sie, weil sie wusste, es würde eine Reaktion provozieren.

»Das könnte leicht missverstanden werden, Ma'am«, sagte Sir Kevin. »Man versucht doch, die Öffentlichkeit nicht vor den Kopf zu stoßen. ›Dienstboten‹ transportiert da eine falsche Botschaft.«

»›Mitarbeiter‹«, entgegnete die Queen, »transportiert überhaupt keine Botschaft. Jedenfalls nicht zu mir. Wo wir jedoch schon beim Thema Mitarbeiter sind, es gibt einen darunter, derzeit in der Küche beschäftigt, den ich gern befördern oder jedenfalls oben bei mir beschäftigen würde.«

Sir Kevin hatte noch nie von Seakins gehört, aber nachdem er sich bei verschiedenen Hofbeamten umgehört hatte, konnte er ihn schließlich ausfindig machen.

»Ich begreife gar nicht«, sagte Ihre Majestät, »wie er überhaupt in der Küche landen konnte. Es handelt sich offensichtlich um einen jungen Mann von einiger Intelligenz.«

»Nicht adrett genug«, sagte der Hofbeamte, allerdings nicht zur Queen, sondern zum Privatsekretär. »Dünn und rothaarig. Ich bitte Sie.«

»Madam scheint Gefallen an ihm zu finden«, sagte Sir Kevin. »Sie möchte ihn oben bei sich haben.«

So fand sich Norman unverhofft vom Tellerwaschen befreit und (nicht ohne Schwierigkeiten) in eine Pagenuniform gesteckt und mit Dieneraufgaben betraut, deren erste kaum überraschend mit der Bibliothek zu tun hatte.

Da sie am kommenden Mittwoch keine Zeit hatte (Kunstturnen in Nuneaton), trug die Queen Norman auf, ihren Nancy-Mitford-Roman zurückzubringen und ihr auch den Folgeband, den es offensichtlich gab, auszuleihen, dazu weitere Lektüre, die ihr gefallen könnte.

Dieser Auftrag bereitete ihm einiges Kopfzerbrechen. Er war zwar einigermaßen belesen, doch vor allem Autodidakt, und suchte seine Lektüre in erster Linie danach aus, ob ein Autor schwul war oder nicht. Das ließ zwar weiten Spielraum, war aber dennoch eine Einschränkung, vor allem, wenn man ein Buch für jemand anderen aussuchen sollte, und umso mehr, wenn es sich dabei zufällig um die Queen handelte.

Und auch Mr. Hutchings war keine große Hilfe, außer durch seine Erwähnung von Hunden als mögliches Interessengebiet Ihrer Majestät, die Norman an ein Buch erinnerte, das er gelesen hatte und das ins gewünschte Profil passen könnte, nämlich J.R. Ackerleys Roman *Mein Hund Tulip*. Mr. Hutchings hegte Zweifel und wies darauf hin, dass es sich um einen Schwulenroman handele.

»Wirklich?«, sagte Norman unschuldig. »Ist mir gar nicht aufgefallen. Sie wird denken, dass es nur um den Hund geht.«

Er brachte die Bücher hinauf ins Stockwerk der Queen, und da man ihm eingeschärft hatte, sich so wenig wie möglich blicken zu lassen, versteckte er sich hinter einem Intarsienschrank, als der Herzog vorbeikam.

»Habe heute Nachmittag eine erstaunliche Gestalt gesehen«, berichtete Seine Königliche Hoheit später. »Karottenköpfiger Kammerdiener.«

»Das muss Norman gewesen sein«, antwortete die Queen. »Ich habe ihn im Bücherbus kennengelernt. Er hat bisher in der Küche gearbeitet.«

»Kann ich mir vorstellen«, sagte der Herzog.

»Er ist sehr intelligent«, erklärte die Queen.

»Muss er auch«, sagte der Herzog, »bei dem Aussehen.«

»Tulip«, sagte die Queen später zu Norman. »Komischer Name für einen Hund.«

»Es soll ja fiktional sein, Ma'am, allerdings hatte der Autor im wirklichen Leben auch einen Hund, einen Deutschen Schäferhund.« (Er verriet ihr nicht, dass der Queenie geheißen hatte.) »Es ist also im Grunde eine verfremdete Autobiographie.«

»Ach«, sagte die Queen. »Aber warum denn verfremdet?«

Norman dachte, wenn sie das Buch läse, würde sie es schon merken, sagte das aber nicht laut.

»Keiner seiner Freunde konnte den Hund leiden, Ma'am.«

»Das Gefühl kenne ich sehr gut«, sagte die Queen, und Norman nickte ernst, denn die königlichen Hunde waren allgemein nicht sehr beliebt. Die Queen lächelte. Was war Norman doch für ein erstaunlicher Fund. Sie wusste, dass sie Menschen einschüchterte und hemmte, und nur wenige Dienstboten benahmen sich in ihrer Gegenwart natürlich. Norman war zwar seltsam, aber ganz er selbst, und er schien auch zu gar keiner Verstellung in der Lage. Das war höchst selten.

Die Queen wäre womöglich weniger erfreut gewesen, hätte sie gewusst, dass Norman von ihrer Gegenwart so unbeeindruckt blieb, weil sie ihm so uralt vorkam, weil ihr königliches Geblüt von ihrem Alter ausgelöscht wirkte. Sie war vielleicht die Königin, aber sie war auch eine alte Dame, und da Norman seine ersten Schritte in der Arbeitswelt in einem Altenheim in Newcastle getan hatte, konnten alte Damen ihn nicht schrecken. Norman betrachtete sie zwar als Arbeitgeberin, aber ihres Alters wegen ebenso sehr als Patientin wie als Königin, und beide musste man bei Laune halten. So dachte er allerdings nur, bis er bemerkte, wie scharf ihr Verstand war und wie verschwendet an ihre Aufgaben.

Außerdem jedoch war sie ein zutiefst konventioneller Mensch, und als sie zu lesen anfing, kam ihr der Gedanke, sie sollte das vielleicht an einem Ort tun, der dafür explizit vorgesehen war, nämlich in der Palastbibliothek. Doch obwohl der Raum Bibliothek hieß und auch tatsächlich Bücherregale alle Wände einnahmen, wurde darin doch höchst selten, wenn überhaupt, je ein Buch gelesen. Hier wurden Ultimaten gestellt, Grenzen gezogen, Gesangbücher kompiliert und Ehen beschlossen, aber wenn man es sich mit einem Buch gemütlich machen wollte, dann sicher nicht in der Bibliothek. Es war sogar kaum möglich, dort etwas zum Lesen in die Finger zu bekommen, denn in den sogenannten offenen Regalen waren die Bücher hinter verschlossenen und vergoldeten Gittern weggesperrt. Viele von ihnen waren unbezahlbar, auch das nicht gerade einladend. Nein, wenn man lesen wollte, dann eher an einem nicht dafür vorgesehenen Ort. Die Queen dachte sich, darin steckte womöglich eine Lebensweisheit, und ging wieder nach oben.

Nachdem sie Nancy Mitfords Fortsetzung *Liebe unter kaltem Himmel* ausgelesen hatte, entdeckte sie erfreut, dass Mitford noch mehr Bücher geschrieben hatte, und wenn einige davon auch historische Werke zu sein schienen, setzte sie doch alle auf ihre (neu angelegte) Leseliste, die sie in ihrem Schreibtisch verwahrte. Vorerst machte sie sich an Normans Vorschlag, *Mein Hund Tulip* von J.R. Ackerley. (War sie ihm begegnet? Sie glaubte nicht.) Das Buch gefiel ihr, wenn auch nur, weil der fragliche Hund, wie Norman schon erwähnt hatte, ein noch schwierigerer Fall war als die ihren, und ebenso unbeliebt. Da Ackerley auch eine Autobiographie geschrieben hatte, schickte sie Norman zur London Library, um sie auszuleihen. Sie war zwar Schirmherrin der berühmten Londoner Bibliothek, doch sie hatte noch selten einen Fuß hineingesetzt, Norman natürlich ebenso wenig, und als er zurückkehrte, erzählte er aufgeregt und verwundert von ihrem altmodischen Charme, nannte sie die Sorte Bibliothek, von der er bisher nur in Büchern gelesen und die er für ein verschwundenes Phänomen gehalten hatte. Er hatte die labyrinthartigen Regalgänge durchwandert und gestaunt, dass er (oder vielmehr Sie) all diese Bücher jederzeit ausleihen konnte. Sein Enthusiasmus wirkte so ansteckend, dass die Queen erwog, ihn beim nächsten Mal vielleicht zu begleiten.

Sie las Ackerleys Selbstdarstellung und wunderte sich kaum, dass er, ein Homosexueller, für die BBC gearbeitet hatte, fand jedoch, dass er insgesamt ein trauriges Leben geführt hatte. Sein Hund faszinierte sie, auch wenn die beinahe veterinärmedizinischen Intimitäten, mit denen er das Tier bedachte, sie ein wenig aus der Fassung brachten. Überrascht war sie, dass die Soldaten des Wachregiments so leicht und zu so erschwinglichem Preis zu haben waren. Darüber hätte sie gern mehr erfahren; doch obwohl einige ihrer Diener dem Wachregiment angehörten, hielt sie es kaum für möglich, sie zu fragen.

E.M. Forster kam in den Memoiren vor, und sie erinnerte sich, mit ihm eine unbehagliche halbe Stunde verbracht zu haben, als sie ihm den Orden der *Companions of Honour* verliehen hatte. Mäuschenstill und schüchtern, wie er war, hatte er kaum etwas gesagt und das Wenige mit so leiser Stimme, dass jegliche Unterhaltung so gut wie unmöglich war. Aber doch so etwas wie ein stilles Wasser: Er hatte ihr mit aneinandergepressten Händen gegenübergesessen wie eine Figur aus *Alice im Wunderland* und sich nicht anmerken lassen, was er dachte, und sie war daher angenehm überrascht, als sie bei der Lektüre seiner Biographie herausfand, dass er hinterher geäußert hatte, wäre sie ein Junge gewesen, hätte er sich in sie verliebt.

Das hätte er ihr natürlich nicht ins Gesicht sagen können, soviel war ihr klar, aber je mehr sie las, desto trauriger fand sie es, wie sehr sie die Menschen einschüchterte, und wünschte sich, zumindest Schriftsteller könnten den Mut aufbringen, gleich auszusprechen, was sie dann später aufschrieben. Sie entdeckte außerdem, wie ein Buch zum nächsten führte, wie sich immer mehr Türen öffneten, wo sie sich auch hinwandte, und dass die Tage für alles, was sie lesen wollte, nicht ausreichten.

Aber Reue und Bedauern empfand sie auch angesichts der zahlreichen Gelegenheiten, die sie verpasst hatte. Als Kind hatte sie Masefield und Walter de la Mare kennengelernt; zu denen hätte sie nicht viel zu sagen gehabt, aber sie hatte auch T. S. Eliot getroffen, außerdem J. B. Priestley, Philip Larkin und sogar Ted Hughes, für den sie ein wenig geschwärmt hatte, der jedoch in ihrer Gegenwart ebenso ratlos gewirkt hatte wie die anderen. Doch weil sie zu jener Zeit so wenig von deren Werken gelesen hatte, fand sie keine Worte, und die Schriftsteller ihrerseits hatten natürlich nur wenig Interessantes hervorgebracht. Was für eine Verschwendung.

Sie machte den Fehler, Sir Kevin gegenüber davon zu sprechen.

»Aber Ma'am sind doch sicher informiert worden?«

»Natürlich«, sagte die Queen, »aber Informieren ist nicht gleich Lesen. Es ist im Grunde sogar der Gegenpol des Lesens. Information ist kurz, bündig und sachlich. Lesen ist ungeordnet, diskursiv und eine ständige Einladung. Information schließt ein Thema ab, Lesen eröffnet es.«

»Ob ich die Aufmerksamkeit Eurer Majestät wohl wieder auf den Besuch der Schuhfabrik lenken darf?«

»Nächstes Mal«, beschied die Queen knapp. »Wo habe ich wohl mein Buch hingelegt?«

Nachdem sie die Freuden des Lesens für sich entdeckt hatte, war Ihre Majestät darauf bedacht, sie weiterzugeben.

»Lesen Sie, Summers?«, fragte sie ihren Chauffeur auf der Fahrt nach Northampton.

»Lesen, Ma'am?«

»Bücher?«

»Wenn ich Gelegenheit habe, Ma'am. Aber irgendwie finde ich nie die Zeit dafür.«

»Das sagen viele Menschen. Man muss sich die Zeit nehmen. Heute Vormittag zum Beispiel. Sie werden vor dem Rathaus im Auto sitzen und auf mich warten. Da könnten Sie doch lesen.«

»Ich muss ein Auge auf den Wagen haben, Ma'am. Wir sind hier in den Midlands. Da herrscht überall Vandalismus.«

Nachdem er Ihre Majestät sicher in die Hände des Lord Lieutenant der Grafschaft übergeben hatte, umschritt Summers einmal wachsam den Wagen und ließ sich dann auf dem Fahrersitz nieder. Lesen? Natürlich las er. Jeder Mensch las. Er öffnete das Handschuhfach und entnahm ihm seine heutige Ausgabe der *Sun*.

Andere, namentlich Norman, zeigten mehr Verständnis, und vor ihm versuchte sie ihre Lektüredefizite oder ihre fehlende kulturelle Kompetenz auch gar nicht zu verbergen.

»Wissen Sie«, sagte sie eines Nachmittags zu ihm, als sie in ihrem Arbeitszimmer lasen, »auf welchem Gebiet man wirklich glänzen könnte?«

»Nein, Ma'am?«

»Bei *Wer wird Millionär?*. Man ist überall gewesen, hat alles gesehen, und wenn man womöglich auch Schwierigkeiten im Bereich Popmusik und bei manchen Sportarten haben dürfte, so hätte man doch die Hauptstadt von Simbabwe oder das Hauptexportprodukt von Neusüdwales sofort parat.«

»Und ich könnte die Pop-Fragen übernehmen«, sagte Norman.

»Ja«, sagte die Queen. »Wir wären ein gutes Team. Nun gut. *Der unbegangene Weg*. Von wem war das noch?«

»Wie bitte, Ma'am?«

»*Der unbegangene Weg*. Schlagen Sie es nach.«

Norman schlug im Zitat-Wörterbuch nach und fand heraus, dass es sich um ein Gedicht von Robert Frost handelte.

»Ich weiß jetzt die passende Bezeichnung für Sie«, sagte die Queen.

»Ma'am?«

»Sie erledigen Aufträge, sie bringen meine Bücher zur Bibliothek und besorgen mir neue, sie schlagen schwierige Wörter im Wörterbuch nach und finden Zitate für mich. Wissen Sie, was Sie sind?«

»Früher war ich Laufbursche, Ma'am.«

»Jetzt sind sie kein Laufbursche mehr. Sie sind mein Amanuensis.«

Norman schlug das Wort im Lexikon nach, das die Queen jetzt ständig auf dem Schreibtisch liegen hatte. »Veraltete Bezeichnung für den Schreibgehilfen oder Sekretär eines Gelehrten; literarischer Assistent.«

Der neue Amanuensis bekam einen Stuhl im Korridor, nahe dem Büro der Queen, auf dem er, wenn er ihr gerade nicht Gesellschaft leistete oder Aufträge erledigte, seine Zeit mit Lesen verbringen konnte. Das machte ihn bei den übrigen Pagen nicht gerade beliebt, denn sie fanden, er habe ein zu bequemes Pöstchen und sehe nicht gut genug aus, es auch zu verdienen. Gelegentlich kam ein Hofbeamter vorbei und fragte ihn, ob er nichts Besseres zu tun habe, als zu lesen, und anfangs hatte er nichts zu erwidern gewusst. Inzwischen jedoch sagte er meist, er lese etwas für Ihre Majestät, was oft stimmte, die Hofbeamten dennoch genauso häufig verärgerte und sie erfreulich erbost von dannen ziehen ließ.

Die Queen las nun immer mehr und bezog ihre Lektüre von verschiedenen Bibliotheken, darunter auch von ihren eigenen, doch aus sentimentalen Gründen und weil sie Mr. Hutchings mochte, ging sie immer noch gelegentlich in den Küchenhof hinunter, um sich der Bestände des Bücherbusses zu bedienen.

Eines Mittwochnachmittags jedoch war er nicht da, und in der folgenden Woche ebenso wenig. Norman nahm sich der Sache sofort an, doch man teilte ihm lediglich mit, die Tour zum Palast sei wegen allgemeiner Mittelkürzungen eingestellt worden. Norman ließ nicht locker und trieb den Bücherbus schließlich in Pimlico auf, wo er Mr. Hutchings, immer noch beharrlich Bücher etikettierend, auf einem Schulhof entdeckte. Mr. Hutchings klärte ihn auf, obgleich er der zuständigen Abteilung der Bibliothek mitgeteilt habe, dass Ihre Majestät zu seinen Entleihern gehöre, habe er die Bezirksverwaltung damit nicht beeindrucken können, denn diese hatte ihrerseits Erkundigungen bei Hofe angestellt, und dort hatte man jegliches Interesse an der Sache dementiert.

Als der empörte Norman der Queen Bericht erstattete, wirkte sie keineswegs überrascht, denn sie fand nur ihren Verdacht bestätigt, auch wenn sie das nicht äußerte, dass nämlich Lektüre, oder zumindest ihre Lektüre, in Hofkreisen nicht wohlgelitten war.

Wenn der Verlust des Bücherbusses auch ein kleiner Rückschlag war, so hatte er doch ein erfreuliches Nachspiel, denn Mr. Hutchings fand sich auf der nächsten Ehrenliste Ihrer Majestät wieder; er nahm dort zwar keine herausragende Stellung ein, aber zählte doch zu denjenigen, die Ihrer Majestät einen besonderen, persönlichen Dienst erwiesen hatten. Auch das fand keinen Beifall, vor allem nicht bei Sir Kevin.

Da er aus Neuseeland stammte und der Hof mit seiner Ernennung vom gewohnten Muster abwich, wurde Sir Kevin Scatchard in der Presse unweigerlich als neuer Besen gehandelt: ein noch recht junger Mann, der mit einigen entbehrlichen Ehrbezeugungen und schamlosen Schmeicheleien aufräumen würde, welche sich der Monarchie im Lauf der Jahrhunderte angelagert hatten. Die Krone wurde in dieser Darstellung wie das Hochzeitsmahl der Miss Havisham bei Dickens gezeichnet – mit Spinnweben überzogene Kronleuchter, von Mäusen zerfressene Kuchen, und Sir Kevin als ein Mr. Pip, der die stockfleckigen Vorhänge beiseite reißt, um Licht ins Haus zu lassen. Die Queen war im Vorteil, denn sie hatte selbst einmal als frischer Wind gegolten, und so konnte das Szenario sie nicht überzeugen; sie vermutete vielmehr, die steife Brise von den Antipoden werde sich mit der Zeit zu einem lauen Lüftchen abschwächen. Privatsekretäre kamen und gingen, wie Premierminister, und in Sir Kevins Fall hatte die Queen den Eindruck, nur Sprungbrett für eine Karriere in luftigen Konzernhöhen zu sein, die er zweifellos anvisierte. Er hatte einen Abschluss der Harvard Business School, und eines seiner öffentlich verkündeten Ziele war es, die Monarchie zugänglicher zu machen (»unsere Filiale für alle öffnen«, so nannte er das). Die Öffnung des Buckingham-Palastes für Besucher war ein erster Schritt in diese Richtung gewesen, ebenso die Nutzung der Gärten für gelegentliche Konzerte, sowohl Pop als auch Klassik. Das Lesen jedoch beunruhigte ihn.

»Ich habe den Eindruck, Ma'am, dass es vielleicht nicht direkt elitär wirkt, aber doch die falsche

Botschaft aussendet. Es schließt gewissermaßen aus.«

»Es schließt aus? Aber die allermeisten Menschen können doch wohl lesen?«

»Sie können lesen, Ma'am, aber ich glaube nicht, dass sie es tun.«

»Dann, Sir Kevin, gebe ich ihnen ein gutes Beispiel.«

Sie schenkte ihm ein reizendes Lächeln und dachte sich dabei, dass Sir Kevin inzwischen immer weniger von einem Neuseeländer an sich hatte, dass sein Akzent die ›Kiwi-Herkunft‹ nur noch schwach ahnen ließ, derentwegen er so empfindlich war und an die er nur ungern erinnert wurde (wie Norman ihr berichtet hatte).

Ein weiterer wunder Punkt war sein Name. Der Privatsekretär empfand ihn als Belastung: *Kevin* hätte er sich mit Sicherheit nicht selbst ausgesucht, und weil er den Namen so wenig leiden konnte, gab es ihm jedes Mal einen Stich, wenn die Queen ihn benutzte, auch wenn sie kaum wissen konnte, wie erniedrigend er ihn empfand.

Tatsächlich jedoch wusste sie es ganz genau (wieder dank Norman), doch für sie war eines jeden Name ohne Bedeutung, wie übrigens auch alles andere, Kleidung, Sprache, Klassenzugehörigkeit. Sie war eine echte Demokratin, vielleicht die einzige im ganzen Land.

Sir Kevin allerdings schien es, dass sie ihn unnötig oft beim Namen nannte, und bisweilen war er überzeugt davon, dass sie es mit neuseeländischem

Beiklang tat, mit einem Hauch jenes Landes der Schafe und Sonntagnachmittage, das sie als Oberhaupt des Commonwealth mehrmals besucht hatte und von dem sie angeblich so begeistert war.

»Es ist ganz wichtig«, sagte Sir Kevin, »dass Eure Majestät sich auf die Kernkompetenzen konzentrieren.«

»Wenn Sie von ›Kernkompetenzen‹ reden, Sir Kevin, so meinen Sie sicherlich, man solle den Ball nicht aus den Augen verlieren. Nun, ich habe seit mehr als fünfzig Jahren den Ball im Blick, also sollte einem doch mittlerweile ein gelegentlicher Blick zu den Außenlinien gestattet sein, finde ich.« Sie hatte das Gefühl, die Metapher sei ihr da womöglich ein wenig schief geraten, doch Sir Kevin fiel das nicht weiter auf.

»Ich verstehe ja«, sagte er, »dass Eure Majestät sich die Zeit vertreiben wollen.«

»Die Zeit vertreiben?«, fragte die Queen. »Bücher sind kein Zeitvertreib. Sie handeln von anderen Leben. Anderen Welten. Man will sich ganz und gar nicht die Zeit vertreiben, Sir Kevin, man wünscht sich im Gegenteil mehr davon. Wenn man sich die Zeit vertreiben wollte, könnte man nach Neuseeland reisen.«

Nach zwei Namensnennungen und einer Erwähnung Neuseelands zog sich Sir Kevin gekränkt zurück. Immerhin hatte er seine Meinung deutlich gemacht und wäre sicher erfreut gewesen zu erfahren, dass er die Queen damit ins Grübeln gebracht hatte, vor allem über die Frage, warum sie ausgerechnet zum jetzigen Zeitpunkt und in ihrem Alter plötzlich den Sog der Literatur spürte. Wo kam dieser Bücherhunger her?

Schließlich hatten nur wenige Menschen mehr von der Welt gesehen als sie. Es gab kaum ein Land, das sie nicht besucht, kaum eine bekannte Persönlichkeit, die sie nicht getroffen hatte. Sie gehörte selbst zum Kaleidoskop der globalen Gesellschaft, wieso war sie dann jetzt so fasziniert von Büchern, die vielleicht alles Mögliche waren, aber doch vor allem ein Spiegelbild oder eine Version der Welt? Warum Bücher? Sie hatte die Wirklichkeit gesehen.

»Ich glaube, ich lese«, sagte sie zu Norman, »weil man zu ergründen verpflichtet ist, wie die Menschen sind.« Eine Binsenweisheit, die Norman nicht weiter beschäftigte, denn er fühlte keine derartigen Verpflichtungen und las aus purem Vergnügen, nicht um der Erleuchtung willen, obwohl diese Erleuchtung ein Teil des Vergnügens war, so viel war ihm auch klar. Aber Pflicht spielte da keine Rolle.

Wer jedoch so erzogen war wie die Queen, für den musste das Vergnügen immer hinter der Pflicht zurücktreten. Hätte sie das Gefühl, zum Lesen verpflichtet zu sein, so könnte sie es reinen Gewissens tun, und jegliches auftretende Vergnügen würde dabei die Nebenrolle spielen. Aber warum ergriff die Literatur jetzt von ihr Besitz? Darüber sprach sie nicht mit Norman, denn sie merkte, es hatte vor allem damit zu tun, wer sie war, welche Stellung sie innehatte.

Der Reiz des Lesens lag in seiner Indifferenz: Literatur hatte etwas Erhabenes. Büchern war es egal, wer sie las oder ob sie überhaupt gelesen wurden. Vor ihnen waren alle Leser gleich, auch sie selbst. Die Literatur, dachte sie, ist ein Commonwealth; Bücher darin die Republiken. Tatsächlich hatte sie diesen Ausdruck, die Republik der Bücher, schon mehrfach gehört – bei Examensfeiern, Ehrendoktorverleihungen und dergleichen –, ohne genau zu wissen, was damit gemeint war. Zu jener Zeit hatte sie jegliche Erwähnung wie auch immer gearteter Republiken, noch dazu in ihrer Gegenwart, als leicht beleidigend oder zumindest taktlos empfunden. Erst jetzt begriff sie, was die Worte bedeuteten. Bücher buckelten nicht. Alle Leser waren gleich, und das erinnerte sie an ihre frühen Lebensjahre. Einer der aufregendsten Momente ihrer Jugend war die Siegesnacht am Ende des Zweiten Weltkrieges gewesen, als sie und ihre Schwester sich aus dem Palast geschlichen und unerkannt unter die feiernde Menge gemischt hatten. Etwas Ähnliches geschah beim Lesen, spürte sie. Es war anonym, gemeinsam und allgemein. Und da sie ein Leben hinter Schranken verschiedenster Art geführt hatte, verlangte es sie nun genau danach. Auf diesen Seiten, zwischen diesen Buchdeckeln konnte sie unerkannt umherschweifen.

Solche Zweifel und Selbstbefragungen waren jedoch erst der Anfang. Nachdem sie sich wieder gefangen hatte, kam es ihr nicht mehr so eigenartig vor, dass sie lesen wollte, und die Bücher, denen sie sich so vorsichtig genähert hatte, wurden ihr Element.

Eine der wiederkehrenden Pflichten der Queen war die Eröffnung des Parlaments, und bisher hatte sie diese Aufgabe nie besonders lästig gefunden, sondern sogar genossen: An einem klaren Herbstmorgen die Mall entlang kutschiert zu werden war auch nach fünfzig Jahren noch eine Freude. Nun nicht mehr. Ihr graute vor den zwei Stunden, die das Prozedere in Anspruch nahm, auch wenn sie glücklicherweise in der Karosse fuhren und nicht im offenen Wagen, sodass sie ihr Buch mitnehmen konnte. Das gleichzeitige Lesen und Winken beherrschte sie inzwischen recht gut, es kam nur darauf an, das Buch unterhalb der Fensterkante zu halten und sich auf die Buchstaben zu konzentrieren, nicht auf die Menschenmenge. Dem Herzog gefiel das natürlich ganz und gar nicht, aber meine Güte, es half.

Das war ja alles schön und gut, doch als sie jetzt in der Kutsche saß, die Kolonne sich im Vorhof des Palastes aufgestellt hatte und fertig zum Abmarsch war, merkte sie beim Aufsetzen der Brille, dass sie das Buch vergessen hatte. Und während also der Herzog in seiner Ecke schäumt und die Postillions nervös werden, während die Pferde trappeln und die Geschirre klirren, wird Norman auf seinem Mobiltelefon angerufen. Die Wachsoldaten rühren sich, die Kolonne wartet. Der verantwortliche Offizier schaut auf die Uhr. Zwei Minuten über die Zeit. Er weiß, dass nichts Ihre Majestät mehr verärgert als Unpünktlichkeit, und ist ob der unvermeidlichen Konsequenzen wenig erfreut. Doch da kommt Norman über den Kies gehastet, hat das Buch klugerweise in eine Stola gehüllt, und los geht es.

Dennoch wird ein äußerst missgelauntes königliches Paar über die Mall kutschiert, der Herzog auf seiner Seite wütend winkend, die Queen ihrerseits eher lustlos, und das Tempo ist recht hoch, denn die Kolonne versucht, die verlorenen zwei Minuten wiedergutzumachen.

In Westminster angekommen, versteckte sie das Buch bis zur Rückfahrt hinter einem Polsterkissen, und als sie auf dem Thronsitz Platz nahm und ihre Rede begann, war ihr mehr als sonst bewusst, wie öde der Sermon war, den sie hier halten musste, obschon dies die einzige Gelegenheit war, bei der sie der ganzen Nation etwas vorlesen durfte. »Meine Regierung wird dies tun … meine Regierung wird jenes tun.« Das Ganze war so barbarisch formuliert und so völlig stillos und uninteressant, dass ihrer Ansicht nach der Akt des Lesens selbst dadurch in den Schmutz gezogen wurde, und ihr diesjähriger Auftritt war noch schlimmer als üblich, weil auch sie versuchte, die fehlenden zwei Minuten aufzuholen.

Mit einiger Erleichterung kehrte sie daher in die Kutsche zurück und suchte hinter den Kissen nach ihrem Buch. Es war nicht da. Während sie weiter-rumpelten, suchte sie tapfer winkend mit der anderen Hand unauffällig hinter den anderen Polstern.

»Du sitzt doch nicht darauf?«

»Auf was?«

»Auf meinem Buch.«

»Nein, bestimmt nicht. Da sind Veteranen von der *British Legion* und ein paar Leute im Rollstuhl. Wink, Herrgott noch mal.«

Als sie wieder im Palast angelangt waren, sprach sie mit Grant, dem heute eingeteilten jungen Lakaien, der sagte, während Ma'am im Oberhaus gesprochen habe, seien die Suchhunde zur Kutsche geführt worden, und die Sicherheitsbeamten hätten das Buch beschlagnahmt. Er glaubte, es sei wohl gesprengt worden.

»Gesprengt worden?«, fragte die Queen. »Aber das war Anita Brookner.«

Der bemerkenswert undevote junge Mann antwortete, die Sicherheitskräfte hätten es wahrscheinlich für eine Bombe gehalten.

Die Queen sagte: »Ja. Genau das ist es auch. Ein Buch ist ein Sprengsatz, um die Phantasie freizusetzen.«

Der Lakai entgegnete: »Sehr wohl, Ma'am.«

Es kam ihr vor, als würde er mit seiner Großmutter sprechen, und nicht zum ersten Mal wurde ihr unangenehm bewusst, welchen Unwillen, ja welche Abscheu ihre Lektüre zu erregen schien.

»Nun gut«, sagte sie. »Dann sollten Sie die Sicherheitskräfte in Kenntnis setzen, dass ich morgen früh ein neues Exemplar des gleichen Buches, auf Sprengstoff untersucht und freigegeben, auf meinem Schreibtisch vorzufinden erwarte. Und noch etwas. Die Polster der Karosse sind völlig verdreckt. Schauen Sie sich mal meine Handschuhe an.« Ihre Majestät zog sich zurück.

»Scheiße«, sagte der Lakai und zog das Buch vorn aus seiner Livreehose, wo es zu verstecken ihm befohlen worden war. Doch wegen der Verspätung wurde nichts Offizielles verlautbart.

Die Abneigung gegen die Bücher der Monarchin beschränkte sich nicht auf den Hof. Während ein Spaziergang für die Hunde früher lautes und zügelloses Tollen übers ganze Palastgelände bedeutet hatte, ließ sich Ihre Majestät heute, kaum dass sie sich außer Sichtweite des Palastes befand, auf der nächsten Sitzgelegenheit nieder und schlug ihr Buch auf. Gelegentlich warf sie den Tieren gelangweilt einen Keks zu, doch Ballwerfen, Stöckchenholen und andere gemeinsame Übermütigkeiten, die ihre Ausflüge einst belebt hatten, gehörten der Vergangenheit an. Die Hunde waren zwar launisch und verwöhnt, aber nicht dumm, und so konnte es nicht überraschen, dass sie Bücher nach kurzer Zeit als die Spielverderber zu hassen begannen, die sie nun einmal sind (und schon immer waren).

Wenn Ihre Majestät ein Buch auf den Teppich fallen ließ, so stürzte sich ein eventuell anwesender Hund sofort darauf, beschnupperte und besabberte es und schleppte es schließlich in einen entfernten Winkel des Palastes, wo es sich zufriedenstellend in

Stücke reißen ließ. Ungeachtet des James-Tait-Black-Preises war es Ian McEwan so ergangen, und sogar A.S. Byatt wurde übel mitgespielt. Trotz ihrer Schirmherrschaft über die London Library musste Ihre Majestät sich am Telefon regelmäßig bei der Verlängerungsabteilung für einen weiteren verlorengegangenen Band entschuldigen.

Norman konnten die Hunde ebenso wenig leiden, und da der junge Mann zumindest teilweise am literarischen Enthusiasmus der Queen schuld war, war auch Sir Kevin ihm nicht gerade geneigt. Ihn irritierte auch dessen ständige Nähe zur Königin, denn wenn er auch bei den Besprechungen des Privatsekretärs mit der Queen nie im Zimmer war, so blieb er doch immer in Rufweite.

Gerade gingen sie einen königlichen Besuch in Wales durch, der in vierzehn Tagen stattfinden sollte. Mitten in der Besprechung des Tagesprogramms (eine Fahrt mit einer modernen stadtübergreifenden Straßenbahn, ein Ukulelenkonzert und eine Führung durch eine Käsefabrik) stand Ihre Majestät plötzlich auf und ging zur Tür.

»Norman.«

Sir Kevin hörte das Scharren eines Stuhls, als Norman sich erhob.

»In ein paar Wochen fahren wir nach Wales.«

»Das ist Pech, Ma'am.«

Die Queen lächelte den nicht amüsierten Sir Kevin an.

»So frech, dieser Norman. Also, wir haben Dylan Thomas gelesen, nicht wahr, und ein bisschen was von John Cowper Powys. Und Jan Morris auch. Wen gibt es noch?«

»Sie könnten es mal mit Kilvert versuchen, Ma'am«, sagte Norman.

»Wer ist denn das?«

»Ein Geistlicher, Ma'am. Neunzehntes Jahrhundert. Lebte an der walisischen Grenze und hat ein Tagebuch geschrieben. Mochte kleine Mädchen.«

»Ah«, sagte die Queen, »wie Lewis Carroll.«

»Schlimmer, Ma'am.«

»Meine Güte. Können Sie mir das Tagebuch besorgen?«

»Es kommt auf Ihre Liste, Ma'am.«

Ihre Majestät schloss die Tür und kehrte an den Schreibtisch zurück. »Sehen Sie, ich mache meine Hausaufgaben, Sir Kevin.«

Sir Kevin hatte noch nie von Kilvert gehört und blieb unbeeindruckt. »Die Käsefabrik liegt in einem neuen Gewerbegebiet auf altem Zechengelände. Die Ansiedlung hat die ganze Gegend wiederbelebt.«

»Zweifellos«, sagte die Queen. »Aber Sie müssen doch zugeben, dass auch Literatur ihre Relevanz hat.«

»Das vermag ich nicht zu sagen«, wich Sir Kevin aus. »In der Fabrik nebenan, wo Ihre Majestät die Kantine eröffnen werden, werden Computerteile hergestellt.«

»Es wird auch gesungen, nehme ich an?«

»Ein Chor wird auftreten, Ma'am.«

»Wie üblich.«

Sir Kevin hat ein sehr muskulöses Gesicht, dachte die Queen. Sogar in den Wangen schien er Muskeln zu haben, die sich kräuselten, wenn er die Stirn runzelte. Wäre ich Schriftstellerin, dachte sie, könnte es sich lohnen, das zu notieren.

»Wir müssen darauf achten, Ma'am, dass wir auch aus dem gleichen Gesangbuch singen.«

»In Wales, natürlich. Ganz gewiss. Wie geht es den Lieben daheim? Alle beim Schafscheren?«

»Nicht um diese Jahreszeit, Ma'am.«

»Aha. Auf der Weide.«

Sie setzte das breite Lächeln auf, welches das Ende der Besprechung anzeigte, und als er sich an der Tür zur Verneigung umwandte, hatte sie sich bereits wieder in ihr Buch vertieft, murmelte bloß ohne aufzusehen »Sir Kevin« und blätterte um.

Zur festgesetzten Zeit also reiste Ihre Majestät nach Wales, und dann nach Schottland und nach Lancashire und ins West Country, auf jener unerbittlichen landesweiten Wanderschaft, die das Los des Monarchen ist. Die Queen muss ihrem Volk begegnen, wie unbehaglich und gehemmt solche Treffen auch zu sein pflegen. Doch dabei konnte ihr Stab immerhin behilflich sein.

Um die Sprachlosigkeit zu umgehen, welche die Untertanen ihrem Souverän gegenüber gelegentlich befiel, hatten die zuständigen Hofbeamten praktische Tipps für zwanglose Konversation parat.

»Ihre Majestät wird Sie womöglich fragen, ob Sie einen weiten Weg hatten. Legen Sie sich eine Antwort zurecht und fahren Sie dann vielleicht fort, dass Sie mit dem Zug oder dem Auto gekommen sind. Dann könnte sie nachfragen, wo Sie das Auto geparkt haben und ob der Verkehr hier schlimmer sei als in – wo kamen Sie noch gleich her? – in Andover. Sehen Sie, die Queen interessiert sich für sämtliche Aspekte im Leben ihres Landes, und daher unterhält sie sich auch manchmal darüber, wie schwierig es heutzutage ist, in London einen Parkplatz zu bekommen. Damit könnten Sie dazu überleiten, welche Parkprobleme Sie in Basingstoke vielleicht haben.«

»Eigentlich in Andover, aber in Basingstoke ist es auch die Hölle.«

»Ganz sicher. Aber Sie verstehen schon die Richtung? Smalltalk.«

Waren diese Gespräche auch banal und alltäglich, so hatten sie doch den Vorteil, vorhersehbar und kurz zu sein und Ihrer Majestät zahlreiche Gelegenheiten zu bieten, sie noch abzukürzen. Die Begegnungen verliefen glatt und nach Plan, die Queen wirkte interessiert, ihre Untertanen kamen selten aus dem Tritt, und dass die vielleicht aufregendste und mit größter Vorfreude erwartete Konversation ihres Lebens sich letztlich nur um die vielen Baustellen auf der M6 drehte, fiel nicht weiter ins Gewicht. Sie hatten die Queen getroffen, die hatte mit ihnen gesprochen, und alle waren pünktlich wieder zuhause.

Diese Unterhaltungen liefen inzwischen so routiniert ab, dass die Hofbeamten sie kaum noch überwachten, sondern sich mit hilfsbereitem, wenn auch herablassendem Lächeln am Rande des Geschehens hielten. Erst als der Anteil der sprachlich gehemmten Bürger offensichtlich zunahm und immer mehr Menschen im Gespräch mit Ihrer Majestät ratlos wirkten, fingen sie an, dem Gesagten (oder nicht Gesagten) zu lauschen.

Es stellte sich heraus, dass die Queen, ohne ihre Untergebenen zu informieren, ihre langjährigen Gesprächseröffnungen – Erkundigungen nach Dauer des Arbeitsverhältnisses, Länge der Anreise, Herkunft – durch eine neue Strategie ersetzt hatte, nämlich durch die Frage: »Was lesen Sie denn gerade?« Darauf hatten nur wenige Ihrer Majestät treue Untertanen eine Antwort zur Hand (einer immerhin versuchte es: »Die Bibel?«). Daher das unbehagliche Schweigen, das die Queen meistens mit den Worten »Ich lese gerade ...« brach, wobei sie manchmal sogar in ihre Handtasche griff und einen Blick auf das glückliche Buch gewährte. Es konnte kaum überraschen, dass die Audienzen dadurch länger und ungeordneter verliefen und dass eine wachsende Zahl ihrer liebenden Untertanen im unerfreulichen Bewusstsein abzogen, keine gute Figur gemacht zu haben, und gleichzeitig mit dem Gefühl, dass ihre Queen ihnen irgendwie ein Bein gestellt hatte.

Nach Dienstschluss besprechen Piers, Tristram, Giles und Elspeth, alle ergebene Diener Ihrer Majestät, die Lage: »*Was lesen Sie gerade?* Ich meine, was ist das denn für eine Frage? Die meisten Menschen lesen überhaupt nichts, die armen Würstchen. Aber wenn sie das sagen, wühlt Madam in ihrer Handtasche nach einem Buch, das sie gerade durch hat, und schenkt es ihnen.«

»Das sie dann, ohne zu zögern, bei eBay verkaufen.«

»Genau. Und waren Sie in letzter Zeit mal bei einem königlichen Besuchstag dabei?«, mischt sich eine der Hofdamen ein. »Es hat sich nämlich schon herumgesprochen. Früher einmal hatten die reizenden Menschen eine Osterglocke oder einen Strauß halb vertrockneter Schlüsselblumen dabei, welche Ihre Majestät dann zu uns nach hinten durchgereicht hat. Heutzutage bringen sie die Bücher mit, die sie gerade lesen, oder, man stelle sich vor, die sie *schreiben*, und wenn man das Pech hat, Dienst zu haben, braucht man praktisch einen Einkaufswagen. Wenn ich Romane durch die Gegend schieben wollte, wäre ich Buchhändlerin geworden. Ich fürchte, Ihre Majestät wird langsam ein bisschen schwierig, wie man so sagt.«

Dennoch stellte sich der Hof auf die neue Situation ein, und auch wenn ihre Begleiter nur sehr widerwillig mit ihren Gewohnheiten brachen, änderten sie doch im Lichte der neuen Vorlieben Ihrer Majestät die Richtung der Vorbesprechungen. Sie wiesen darauf hin, dass die Queen zwar wie früher fragen könnte, wie weit und mit welchen Verkehrsmitteln die Betreffenden angereist waren, dass sie jedoch mit größerer Wahrscheinlichkeit wissen wollen würde, was sie gerade lasen.

Daraufhin sahen die meisten Menschen sie verständnislos (und gelegentlich panisch) an, aber die Bediensteten des Hofes hatten rasch ein paar Vorschläge. Das hatte zwar zur Folge, dass die Queen einen nicht repräsentativen Eindruck von der Popularität gewisser Autoren wie Andy McNab oder Joanna Trollope bekam, aber sei's drum: Immerhin wurde so manche Verlegenheit vermieden. Und nachdem für Antworten gesorgt war, verliefen die Begegnungen auch wieder nach Zeitplan, genau wie früher, und Verzögerungen gab es nur, wenn einer der Untertanen seiner Vorliebe für Virginia Woolf oder Charles Dickens Ausdruck verlieh, was sofort eine lebhafte (und langatmige) Diskussion zur Folge hatte. Viele hofften auf ein ähnliches Gespräch unter Gleichgesinnten, wenn sie sagten, sie läsen Harry Potter, aber darauf antwortete die Queen (die mit Fantasy nichts anfangen konnte) regelmäßig mit einem knappen »Ja, das hebe ich mir für Regentage auf« und wandte sich rasch zum Gehen.

Da Sir Kevin sie fast täglich sah, konnte er der Queen wegen ihrer neuen Begeisterung, die inzwischen fast zu einer Besessenheit geworden war, ständig zusetzen und dazu neue Herangehensweisen entwickeln. »Ich habe überlegt, Ma'am, ob wir Ihre Lektüre nicht irgendwie einbinden könnten.«

Früher hätte sie das unkommentiert gelassen, aber als eine Folge ihrer Leseleidenschaft war ihr die Toleranz für Worthülsen (die noch nie besonders ausgeprägt gewesen war) gänzlich abhandengekommen.

»Sie einbinden? In was denn wohl?«

»Ich spinne hier nur mal ein paar Gedanken, Ma'am, aber es wäre sicher hilfreich, wenn wir eine Presseerklärung des Inhalts herausgeben könnten, dass Ihre Majestät neben englischer Literatur auch ethnische Klassiker liest.«

»An welche ethnischen Klassiker hatten Sie da gedacht, Sir Kevin? Das Kamasutra?«

Sir Kevin seufzte.

»Ich lese gerade Vikram Seth. Würde der auch zählen?«

Der Privatsekretär hatte zwar noch nie von ihm gehört, aber der Name klang richtig.

»Salman Rushdie?«

»Eher nicht, Ma'am.«

»Ich sehe allerdings gar keine Notwendigkeit für eine Presseerklärung. Warum sollte es die Öffentlichkeit interessieren, was ich lese? Die Königin liest. Mehr brauchen sie nicht zu wissen. Ich könnte mir vorstellen, die allgemeine Reaktion dürfte ›na und?‹ lauten.«

»Lesen heißt sich zurückziehen. Sich unzugänglich zeigen. Es wäre leichter, wenn es sich um eine weniger ... weniger selbstsüchtige Beschäftigung handelte.«

»Selbstsüchtig?«

»Vielleicht sollte ich eher ›solipsistisch‹ sagen?«

»Vielleicht.«

Sir Kevin gab nicht auf. »Wenn wir Ihr Lesen einem höheren Zweck unterordnen könnten – die Belesenheit der Nation insgesamt, die Verbesserung der Lesefähigkeit der Jugend …«

»Man liest zum Vergnügen«, sagte die Queen. »Lesen ist keine Bürgerpflicht.«

»Vielleicht sollte es eine werden«, sagte Sir Kevin.

»Unverschämtheit«, sagte der Herzog, als sie ihm abends von dem Gespräch erzählte.

Wo schon vom Herzog die Rede ist – wie kam die Familie mit all dem zurecht? Wie sehr schränkte sie das Leseverhalten der Queen ein?

Hätte es zu den Pflichten der Queen gehört, Essen zu kochen, einzukaufen oder, unvorstellbar, das Haus beziehungsweise die Häuser staubfrei zu halten, so wäre der sinkende Standard sofort aufgefallen. Doch sie musste natürlich nichts dergleichen tun. Zwar erledigte sie ihre Aufgaben weniger sorgfältig, doch das betraf weder ihren Gatten noch ihre Kinder. Es betraf allerdings (oder »hatte negative Auswirkungen auf«, wie Sir Kevin sich ausdrückte) die Öffentlichkeit, denn sie kam ihren offiziellen Verpflichtungen mit sichtbarem Unwillen nach: Grundsteine wurden weniger schwungvoll gelegt, die wenigen Schiffe, die noch zu taufen waren, sandte sie mit kaum mehr Zeremoniell auf hohe See hinaus, als man ein Spielzeugboot auf den Teich setzt, denn immer wartete ein Buch auf sie.

Das bereitete vielleicht ihrem Hofstaat Sorge, ihre Familie jedoch war eher erleichtert. Sie hatte immer alle auf Trab gehalten, und das Alter hatte sie nicht nachsichtiger gemacht; das Lesen wohl. Sie ließ die Familienmitglieder in Frieden, wies sie kaum noch zurecht, und alle waren entspannter. Ein Hoch auf die Bücher, so war die allgemeine Familienstimmung, es sei denn, man sollte welche lesen, oder Großmutter bestand darauf, über sie zu sprechen, fragte die Enkel über ihre Lesegewohnheiten aus oder, das war am schlimmsten, drückte ihnen Bücher in die Hand und prüfte später nach, ob sie auch gelesen worden waren.

Derzeit stieß man oft in seltsamen und selten betretenen Winkeln ihrer verschiedenen Wohnsitze auf sie, die Brille auf der Nasenspitze, Notizbuch und Bleistift neben sich. Sie schaute dann kurz hoch und hob vage grüßend die Hand. »Schön, wenn immerhin eine glücklich ist«, grummelte der Herzog und schlurfte weiter durch den Korridor. Und das stimmte: Sie war glücklich. Das Lesen machte ihr mehr Freude als alles andere, und sie verschlang in erstaunlichem Tempo Bücher. Auch wenn, abgesehen von Norman, niemand staunte.

Und anfänglich sprach sie auch mit niemandem über ihre Lektüre, auf gar keinen Fall in der Öffentlichkeit, denn sie wusste, eine derart spät erblühte Begeisterung, so löblich sie auch sein mochte, konnte sie der Lächerlichkeit preisgeben. Es wäre kaum anders, dachte sie, wenn sie eine Leidenschaft für Gott oder Dahlien entwickelt hätte. Warum, dachten die Leute dann, fing sie in ihrem Alter noch damit an? Sie selbst jedoch konnte sich keine ernsthaftere Beschäftigung vorstellen, und sie dachte vom Lesen das Gleiche wie manche Schriftsteller vom Schreiben, dass man es nämlich unmöglich nicht tun konnte und dass sie in ihrem fortgeschrittenen Alter zum Lesen berufen war, so wie andere zum Schreiben.

Zugegeben, sie hatte eher furchtsam und mit Unbehagen zu lesen begonnen. Die schiere Unendlichkeit der Literatur hatte sie eingeschüchtert, sie wusste nicht, wie sie die Sache angehen sollte; ihre Lektüre folgte keinem System, ein Buch führte zum anderen, oft las sie zwei oder drei gleichzeitig. In der nächsten Phase hatte sie angefangen, sich Notizen zu machen, und bald schon las sie nie mehr ohne Bleistift. Sie fasste das Gelesene nicht etwa zusammen, sondern schrieb einfach Stellen ab, die sie ansprangen. Erst nach einem Jahr Lesen und Notieren versuchte sie gelegentlich vorsichtig, eigene Gedanken zu formulieren. »Für mich«, so schrieb sie, »ist Literatur ein riesiges Land, zu dessen fernen Grenzen ich mich aufgemacht habe, die ich aber unmöglich erreichen kann. Und ich bin viel zu spät aufgebrochen. Ich werde meinen Rückstand niemals aufholen.« Und dann (ein damit nicht zusammenhängender Gedanke): »Etikette mag schlimm sein, aber Peinlichkeit ist schlimmer.«

Auch eine gewisse Traurigkeit lag im Lesen – zum ersten Mal im Leben hatte sie das Gefühl, einiges verpasst zu haben. Sie hatte eine der zahlreichen Lebensgeschichten Sylvia Plaths gelesen und war ehrlich gesagt recht froh darüber, Derartiges größtenteils versäumt zu haben, doch als sie Lauren Bacalls Memoiren las, musste sie sich eingestehen, dass Ms. Bacall sich doch einen viel größeren Bissen gegönnt hatte und dass sie die Schauspielerin zu ihrer leichten Überraschung darum beneidete.

Dass die Queen so unbeschwert von der Autobiographie einer Leinwandgröße zu den letzten Tagen einer selbstmörderischen Dichterin wechseln konnte, mag unpassend und achtlos wirken, doch besonders in den Anfangstagen ihrer Lesebegeisterung waren für sie alle Bücher gleich, und sie fühlte sich verpflichtet, ihnen ebenso wie ihren Untertanen vorurteilsfrei gegenüberzutreten. So etwas wie pädagogisch wertvolle Bücher gab es für sie nicht. Bücher waren unkartiertes Gebiet, jedenfalls zu Beginn ihrer Reise, und sie machte keine Unterschiede. Mit der Zeit wuchs ihre Urteilskraft, doch abgesehen von gelegentlichen Bemerkungen Normans sagte ihr niemand, was sie lesen sollte und was nicht. Lauren Bacall, Winifred Holtby, Sylvia Plath – wer waren sie? Nur durch Lesen konnte sie es herausfinden.

Einige Wochen später blickte sie von ihrem Buch auf und sagte zu Norman: »Wissen Sie noch, als ich Sie meinen Amanuensis genannt habe? Jetzt habe ich auch herausgefunden, was ich bin. Nämlich eine Opsimathin.«

Norman hatte das Lexikon jederzeit zur Hand und las vor: »Opsimath, -in: ein Mensch, der erst spät im Leben zu lernen beginnt.«

Dieses Gefühl, verlorene Zeit aufholen zu müssen, trieb sie beim Lesen zur Eile, und allmählich kommentierte sie das Gelesene auch häufiger (und selbstbewusster). Im Grunde betätigte sie sich als Literaturkritikerin, und das tat sie mit der gleichen Offenheit und Geradlinigkeit, die sie auch in anderen Lebensbereichen an den Tag legte. Sie war keine nachsichtige Leserin und wünschte sich oft, die Autoren vor sich zu haben, um sie in die Pflicht zu nehmen.

»Geht es nur mir so«, schrieb sie, »dass ich Henry James mal richtig den Kopf waschen möchte?«

»Ich kann mir vorstellen, warum Dr. Johnson in hohem Ansehen steht, doch ein großer Teil seiner Ansichten ist doch wohl tendenziöses Geschwätz.«

Henry James war es auch, den sie einmal beim Tee las, als sie laut sagte, »Ach, nun aber mal los.«

Das Hausmädchen wollte gerade den Teewagen hinausschieben, sagte, »Entschuldigung, Ma'am«, und war in weniger als zwei Sekunden aus dem Zimmer gehastet.

»Nicht Sie, Alice«, rief die Queen hinter ihr her und ging dafür sogar zur Tür. »Nicht Sie.«

Früher einmal wäre es ihr egal gewesen, was das Hausmädchen dachte oder ob sie ihre Gefühle verletzt hatte, jetzt aber nicht mehr, und als sie zu ihrem Stuhl zurückkehrte, überlegte sie, wieso. Dass dieser Zuwachs an Mitgefühl mit Büchern zusammenhängen könnte, sogar mit Henry James, über den sie sich doch ständig ärgerte, kam ihr in dem Augenblick nicht in den Sinn.

Auch wenn ihr der immense Nachholbedarf immer auf der Seele lag, wurde er doch bisweilen von einem anderen Bedauern überlagert: dass sie so viele berühmte Schriftsteller hätte kennenlernen können und es nicht getan hatte. Daran immerhin konnte sie noch etwas ändern, und so beschloss sie, zum Teil auf Normans Anraten, dass es doch interessant und vielleicht gar amüsant wäre, einige der Autoren, die sie beide gelesen hatten, auch zu treffen. Also wurde ein Empfang vorbereitet, oder eine Soirée, wie Norman es unbedingt nennen wollte.

Die Protokollbeamten erwarteten natürlich, dass der gleiche formelle Rahmen wie bei den Gartenpartys und anderen großen Empfängen Bestand haben werde, dass man also die Gäste darauf vorbereiten würde, bei wem Ihre Majestät höchstwahrscheinlich stehenbleiben werde, um zu plaudern. Die Queen war jedoch der Ansicht, solche Förmlichkeiten seien hier nicht am Platze (es handelte sich schließlich um Künstler) und man solle alles dem Zufall überlassen. Das erwies sich als Fehleinschätzung.

Waren die Autoren, denen sie einzeln begegnet war, auch schüchtern oder gar furchtsam gewesen, so waren sie in der Gruppe laut, schwatzhaft und, obwohl sie viel lachten, nach ihrem Dafürhalten nicht besonders witzig. Oft stand sie am Rande eines Grüppchens herum, niemand machte sich die Mühe, sie einzubeziehen, und so kam sie sich bald wie ein Gast auf ihrer eigenen Gesellschaft vor. Wenn sie dann einmal etwas sagte, ließ sie damit entweder das Gespräch erlahmen und ein unangenehmes Schweigen entstehen, oder die Schriftsteller nahmen keinerlei Notiz von ihr, wahrscheinlich, um ihre intellektuelle Unabhängigkeit und geistige Überlegenheit zu demonstrieren, und redeten einfach weiter.

Es war aufregend, unter Literaten zu sein, die sie beim Lesen als Freunde betrachtet hatte und die sie nur zu gern kennenlernen wollte. Doch als sie mit denjenigen, deren Bücher sie gelesen und bewundert hatte, nun über ihre verwandten Empfindungen sprechen wollte, fand sie nichts zu sagen. Ausgerechnet ihr, die sie sich in ihrem ganzen Leben von kaum jemandem hatte einschüchtern lassen, fehlten auf einmal die Worte, und sie fühlte sich unbeholfen. »Ich fand Ihr Buch wunderbar« hätte alles gesagt, aber fünfzig Jahre Haltung und Selbstbeherrschung plus ein halbes Jahrhundert Understatement hielten sie von solchen Sätzen ab. Da sie sich also mit Konversation schwertat, fiel sie auf ihre Standardroutine zurück. Sie fragte nicht gerade: »Hatten Sie eine weite Anreise?«, aber doch das literarisch Entsprechende. »Wie kommen Sie auf Ihre Figuren? Haben Sie einen regelmäßigen Arbeitstag? Schreiben Sie auf dem Computer?« Sie wusste selbst, dass diese Fragen klischeehaft und peinlich waren, doch das unbehagliche Schweigen war noch schlimmer.

Besonders beängstigend war ein schottischer Schriftsteller. Als sie ihn fragte, woher seine Inspiration komme, entgegnete er heftig: »Die kommt nicht, Euer Majestät. Man muss rausgehen und sie sich holen.«

Und wenn sie denn einmal – beinahe stammelnd – ihre Bewunderung auszudrücken imstande war und hoffte, der Autor (denn die Männer, stellte sie fest, waren darin viel schlimmer als die Frauen) würde ihr verraten, wie er zum Schreiben des fraglichen Buches gekommen sei, dann wurde ihre Begeisterung rasch abgetan, und der Betreffende bestand darauf, nicht über den gerade erschienenen Bestseller zu sprechen, sondern über das neue Buch, an dem er gerade arbeitete, wie schwer es damit voranging und wieso er daher – und hier nahm er einen Schluck Champagner – leide wie ein Hund.

Schriftstellern, so war ihr bald klar, begegnete man am besten auf den Seiten ihrer Bücher, und sie waren ebenso sehr Phantasiefiguren ihrer Leser wie ihre Romanhelden. Und sie fanden anscheinend auch gar nicht, dass man ihnen mit dem Lesen ihrer Werke einen Gefallen getan hatte. Vielmehr hatten sie einem den Gefallen getan, sie zu schreiben.

Zunächst hatte sie gedacht, sie könnte solche Empfänge vielleicht regelmäßig geben, doch diese eine Soirée reichte, um sie vom Gegenteil zu überzeugen. Einmal war genug. Sir Kevin fiel ein Stein vom Herzen, denn er war von Anfang an nicht begeistert gewesen und hatte darauf hingewiesen, wenn sie einen Abend für Schriftsteller abhalten wolle, müsse sie eine ähnliche Einrichtung für bildende Künstler schaffen, und wenn man Autoren und Künstler eingeladen hätte, würden auch die Wissenschaftler nicht zurückstehen wollen.

»Ma'am dürfen nicht den Eindruck von Bevorzugung erwecken.«

Nun, die Gefahr bestand jetzt nicht mehr.

Mit einigem Recht gab Sir Kevin Norman die Schuld an diesem Abend literarischer Lustlosigkeit, da er die Queen ermutigt hatte, als sie die Idee zaghaft erwähnt hatte. Allerdings hatte der Empfang auch Norman wenig Vergnügen bereitet. Wie die literarische Landschaft nun einmal beschaffen ist, war der Anteil von Schwulen unter den Gästen recht hoch, einige davon waren auf Normans ausdrücklichen Vorschlag hin eingeladen worden. Doch das nützte ihm wenig. Auch wenn er nur, wie die anderen Pagen, Tabletts mit Getränken und den kleinen dazu gereichten Bissen herumtrug, wusste Norman doch im Gegensatz zu seinen Kollegen um den literarischen und gesellschaftlichen Ruf der Männer, auf die er mit seinem Tablett zusteuerte. Er hatte sogar ihre Bücher gelesen. Doch nicht um ihn scharten sie sich, sondern um die hübscheren Pagen und die arroganteren Kammerdiener, die, wie Norman bitter bemerkte (allerdings nicht der Queen gegenüber), literarische Verdienste nicht einmal bemerken würden, wenn man sie mit der Nase hineinstieße.

Wenn es auch insgesamt eine eher unerfreuliche Erfahrung war, die Welt der Worte zu sich zu laden, so verleidete es Ihrer Majestät doch keinesfalls (wie Sir Kevin gehofft hatte) das Lesen. Es trieb ihr lediglich den Wunsch aus, Schriftsteller kennenzulernen, und in gewissem Maß vergällte es ihr auch die Lektüre lebender Autoren. Aber das bedeutete nur, dass sie mehr Zeit für die Klassiker hatte, für Dickens, Thackeray, George Eliot und die Brontë-Schwestern.

Jeden Dienstag traf die Queen ihren Premierminister, der sie über das in Kenntnis setzte, was sie seiner Ansicht nach wissen sollte. In der Presse wurden diese Termine gern so dargestellt, als erteile eine erfahrene Monarchin ihrem Ersten Minister weise Ratschläge, um ihn an möglichen Fallgruben vorbeizuführen, und zehre dabei von ihrem einzigartigen politischen Erfahrungsschatz, den sie in über fünfzig Jahren auf dem Thron angehäuft habe. Das war ein Mythos, auch wenn der Palast selbst zu seiner Verfestigung beitrug; tatsächlich neigten die Premierminister, je länger sie im Amt waren, umso weniger zum Zuhören, dafür umso mehr zum Reden, wobei die Queen aufmerksam, wenn auch nicht immer zustimmend nickte.

Zu Anfang wollten die Premierminister von der Queen immer an der Hand gehalten werden, wollten ein paar Streicheleinheiten und einen aufmunternden Klaps bekommen, so wie ein Kind, das der Mutter stolz sein Werk zeigt. Wie so oft in ihrem Leben war Fassade gefragt, sie sollte den Anschein von Interesse und Sorge erwecken. Männer (und dazu zählte auch Mrs. Thatcher) wollten Fassade. Immerhin hörten sie in dieser Anfangsphase noch zu und fragten sogar gelegentlich um Rat, doch mit der Zeit hatten ihre sämtlichen Premierminister mit beunruhigender Gleichförmigkeit auf den Vortragsmodus umgeschaltet, hatten die Queen nicht mehr zur Ermutigung, sondern als Publikum benötigt, und ihr zuzuhören hatte nicht mehr auf der Tagesordnung gestanden.

Nicht nur Gladstone hatte sich an seine Queen wie an eine öffentliche Versammlung gewandt.

Die Audienz an diesem Dienstag war nach gewohntem Muster verlaufen, und erst gegen Ende kam auch die Queen einmal zu Wort und konnte ein Thema anschneiden, das ihr tatsächlich am Herzen lag. »Was meine Weihnachtsansprache angeht.«

»Ja, Ma'am?«, sagte der Premierminister.

»Ich dachte, man könnte dieses Jahr etwas anderes versuchen.«

»Etwas anderes, Ma'am?«

»Ja. Wenn ich zum Beispiel ganz zwanglos lesend auf dem Sofa sitzen könnte oder, noch informeller, wenn die Kamera mich irgendwo entspannt mit einem Buch aufspüren und sich dann näher heranpirschen könnte – sagt man nicht so? –, bis ich mitten im Bild bin, und dann könnte ich aufblicken und sagen: ›Ich lese gerade dieses Buch über das und das‹, und dann in der Richtung weitersehen.«

»Und was wäre das für ein Buch, Ma'am?« Der Premierminister sah nicht sehr glücklich aus.

»Darüber müsste man noch nachdenken.«

»Vielleicht irgendetwas über die Weltlage?« Seine Miene hellte sich auf.

»Möglicherweise, allerdings bekommen sie davon schon aus der Zeitung genug. Nein. Ich dachte eher an Lyrik.«

»Lyrik, Ma'am?« Er lächelte schmal.

»Zum Beispiel Thomas Hardy. Ich habe neulich ein außerordentlich gutes Gedicht von ihm gelesen, darüber, wie die Titanic und der Eisberg, der sie versenkt hat, zusammenkamen. Es heißt *Der beiden Zusammentreffen*. Kennen Sie es?«

»Leider nicht, Ma'am. Aber inwiefern würde das helfen?«

»Wem helfen?«

»Nun«, dem Premierminister schien es ein wenig peinlich zu sein, es tatsächlich aussprechen zu müssen, »dem Volk.«

»Ah, sicher«, sagte die Queen, »es würde doch immerhin zeigen, dass wir alle dem Schicksal unterworfen sind, nicht wahr?«

Sie sah den Premierminister mit hilfsbereitem Lächeln an. Er schaute auf seine Hände.

»Ich glaube nicht, dass die Regierung sich eine solche Botschaft zu eigen machen sollte.« Die Öffentlichkeit durfte nicht den Eindruck gewinnen, die Welt ließe sich nicht organisieren. Dieser Weg führte geradewegs ins Chaos. Oder in die Wahlniederlage, was das Gleiche war.

»Ich höre«, und nun war es an ihm, hilfsbereit zu lächeln, »es gibt ganz ausgezeichnete Aufnahmen vom Besuch Eurer Majestät in Südafrika.«

Die Queen seufzte und drückte auf ihren Klingelknopf.

»Wir werden darüber nachdenken.«

Der Premierminister wusste, dass die Audienz vorbei war, als Norman die Tür öffnete und wartend stehenblieb. »Das also«, dachte er, »ist der berühmte Norman.«

»Ach, Norman«, sagte die Queen, »der Premierminister hat anscheinend noch nichts von Hardy gelesen. Vielleicht könnten Sie ihm beim Hinausgehen eines unserer alten Taschenbücher mitgeben.«

Zu ihrer eigenen leichten Überraschung bekam die Queen in gewisser Weise ihren Willen, denn auch wenn sie nicht auf dem Sofa lag, sondern an ihrem gewohnten Tisch saß, wenn sie auch nicht das Hardy-Gedicht vortrug (das war als »nicht zukunftsgerichtet« abgelehnt worden), so begann sie ihre Weihnachtsansprache doch mit dem ersten Absatz von Dickens' *Geschichte zweier Städte* (»Es war die beste und die schlimmste aller Zeiten«), und das machte sie gut. Sie las nicht vom Teleprompter ab, sondern direkt aus dem Buch, und erinnerte die älteren unter ihren Zuschauern (und das war die Mehrheit) an die Sorte Lehrerin, die ihnen in der Schule vorgelesen hatte.

Von der Reaktion auf ihre Weihnachtsansprache ermutigt, hielt die Queen an ihrer Gewohnheit fest, in der Öffentlichkeit zu lesen, und als sie eines Abends spät ihr Buch über den Elisabethanischen Kompromiss zuklappte, kam ihr der Gedanke, den Erzbischof von Canterbury anzurufen.

Sie musste einen Augenblick warten, bis er den Fernseher leiser gestellt hatte.

»Erzbischof. Warum darf ich nie die Lesung vortragen?«

»Wie meinen, Ma'am?«

»Im Gottesdienst. Alle anderen dürfen irgendwann lesen, nur man selbst nie. Das ist doch nirgendwo festgelegt, oder? Ist es mir etwa untersagt?«

»Nicht dass ich wüsste, Ma'am.«

»Gut. Dann werde ich einfach damit anfangen. Immer her mit den Sprüchen Salomos. Gute Nacht.«

Der Erzbischof schüttelte den Kopf und wandte sich wieder der Tanzshow *Let's dance* zu.

Doch von nun an tauchte Ihre Majestät, vor allem in Norfolk, aber sogar auch in Schottland, regelmäßig am kirchlichen Lesepult auf. Und nicht nur dort. Als sie eine Grundschule in Norfolk besuchte, setzte sie sich auf einen der Schulstühle und las den Kindern eine Geschichte von Babar, dem Elefanten, vor. Die Gäste eines Banketts in der Londoner City kamen in das Vergnügen einiger

Verse von Sir John Betjeman. Alle fanden solche spontanen Abweichungen vom üblichen Fahrplan bezaubernd, mit Ausnahme von Sir Kevin, den sie nicht um Genehmigung ersucht hatte.

Ebenso ungeplant war der Abschluss einer feierlichen Baumpflanzung. Nachdem sie mit leichter Hand einen Eichenschößling in die renaturierte Erde eines öden landwirtschaftlichen Großbetriebs oberhalb von Medway gesetzt hatte, lehnte sie sich auf den königlichen Prachtspaten und rezitierte auswendig Philip Larkins Gedicht *Die Bäume* mit seiner abschließenden Strophe:

Und doch sind ihre Kronen jeden Mai
in voll gewachsener Dichte ausgeschlagen.
Das letzte Jahr ist tot, so wollen sie sagen;
Mach alles neu, mach neu, mach neu.

Und die klare, unverkennbare Stimme, die sich über das schüttere, windzerzauste Gras erhob, schien nicht nur zur versammelten Feiergemeinde zu sprechen, sondern auch zu sich selbst. Ihr Leben rief sie vor Augen, der Neuanfang war ihr eigener.

Doch so sehr das Lesen sie auch in Anspruch nahm, mit einem hatte die Queen nicht gerechnet: wie sehr es die Begeisterung für alle anderen Tätigkeiten dämpfte. Zwar war ihr auch früher bei der Aussicht auf eine weitere Schwimmbaderöffnung nicht gerade das Herz im Leibe gehüpft, aber immerhin hatte sie auch keinen Widerwillen empfunden. Wie eintönig ihre Termine auch sein mochten – hier ein Besuch, dort eine Versammlung –, so hatte sie dabei doch nie Langeweile empfunden. Dies waren ihre Pflichten, und wenn sie des Morgens ihren Tagesplan studiert hatte, dann nie ganz ohne Interesse oder Vorfreude.

Nun nicht mehr. Nun gedachte sie der unerbittlichen Abfolge von Rundreisen, Staatsbesuchen und öffentlichen Auftritten, die sich auf Jahre in die Zukunft dehnten, nur noch mit Schrecken. Kaum einmal konnte sie einen ganzen Tag für sich beanspruchen, niemals zwei hintereinander. Plötzlich war ihr alles zur Last geworden. »Ma'am sind müde«, sagte ihre Kammerzofe, als sie am Schreibtisch seufzte. »Es wird Zeit, dass Ma'am gelegentlich mal die Füße hochlegen.«

Aber das war es gar nicht. Es war das Lesen, und so sehr sie die Bücher auch liebte, so wünschte sie doch manchmal, sie hätte nie eins aufgeschlagen, wäre nie in anderer Menschen Leben eingetaucht. Das hatte sie verdorben. Oder ihr jedenfalls das hier verleidet.

Derweil kam und ging hoher Besuch, darunter auch der französische Präsident, der sich in der Genet-Frage als ziemliche Enttäuschung erwiesen hatte. Sie erwähnte das dem Außenminister gegenüber in der Nachbesprechung, die solchen Staatsbesuchen üblicherweise folgt, aber auch der hatte noch nie vom verurteilten Dramatiker und Romanautor gehört. Immerhin, sagte sie und schweifte dabei von den Bemerkungen des Präsidenten über anglo-französische Finanzfragen ab, wenn er auch in Bezug auf Genet (den er als »Stammgast der Billardkneipen« abgetan hatte) ein völliger Fehlschlag gewesen sei, so habe er sich doch als wahre Fundgrube in Sachen Proust erwiesen, von dem die Queen bis dahin nicht viel mehr als den Namen gekannt hatte. Der Außenminister kannte nicht mal den, daher konnte sie ihn ein wenig aufklären.

»Hatte ein schreckliches Leben, der arme Mann. Litt offenbar furchtbar unter Asthma und war im Grunde so jemand, zu dem man gern mal sagen möchte: ›Nun reißen Sie sich mal am Riemen, guter Mann.‹ Aber von solchen Leuten wimmelt es in der Literatur. Das Merkwürdige bei ihm war, wenn er seinen Kuchen in den Tee tunkte (abscheuliche Angewohnheit), dann stand ihm plötzlich sein ganzes bisheriges Leben vor Augen. Ich habe es auch versucht, und bei mir hat es keinerlei Wirkung gezeigt. Als ich klein war, waren Fuller's Cakes der große Leckerbissen. Ich nehme an, wenn ich so einen noch einmal probieren könnte, dürfte etwas passieren, aber deren Produktion ist natürlich längst eingestellt worden, aus der Richtung ist also keine Erinnerungshilfe zu erwarten. Sind wir fertig?« Sie griff nach ihrem Buch.

Der Unkenntnis der Queen über Proust konnte, anders als der des Außenministers, rasch abgeholfen werden, denn Norman suchte sofort im Internet und fand heraus, dass der Roman dreizehn Bände hatte und daher idealer Lesestoff für den Sommeraufenthalt auf Balmoral war. Dazu kam noch George Painters Proust-Biographie. Und als sie die Bände in ihren rosaroten und blauen Schutzumschlägen auf dem Schreibtisch aufgereiht sah, fand die Queen, dass sie nahezu essbar aussahen, wie aus dem Schaufenster eines Konditors.

Es war ein schlechter Sommer, kalt, feucht, unproduktiv, und die Jäger grollten jeden Abend über ihre karge Beute. Doch für die Queen (und für Norman) war es eine Idylle. Selten dürfte es einen größeren Kontrast zwischen der Welt eines Buches und dem Ort seiner Lektüre gegeben haben, da die beiden Leser sich in die kleingeistigen Plattitüden der Mme Verdurin und die Absurditäten des Baron de Charlus versenkten, während von den feuchten Hochsitzen herab die Gewehre ihren hohlen Trommelwirbel über die umliegenden Hügel hallen ließen und gelegentlich ein toter, durchnässter Hirsch am Fenster vorbeigetragen wurde.

Die Pflicht verlangte vom Premierminister und seiner Frau, die Hausgesellschaft ein paar Tage zu beehren, und wenn er auch selbst nicht jagte, so zählte der Regierungschef doch darauf, die Queen auf einigen erfrischenden Spaziergängen durch die Heide zu begleiten, wobei er, wie er sich ausdrückte, »sie besser kennenzulernen hoffte«. Aber da er von Proust noch weniger Ahnung hatte als von Thomas Hardy, wurde er enttäuscht: Solche Gespräche unter vier Augen waren gar nicht vorgesehen.

Nach dem Frühstück zog sich Ihre Majestät mit Norman in ihr Arbeitszimmer zurück, die Männer fuhren mit ihren Landrovern zu einem weiteren deprimierenden Jagdtag hinaus, und der Premierminister blieb mit seiner Frau auf sich gestellt zurück. An manchen Tagen streiften sie durch Moor und Heidekraut, um mit den Jägern ein feuchtes, unbehagliches Picknick einzunehmen, doch am Nachmittag traf man sie meist in einer fernen Ecke des Salons bei einer traurigen Partie Monopoly an, nachdem sie die Einkaufsmöglichkeiten der Gegend mit dem Kauf einer Tweeddecke und einer Packung Shortbread ausgeschöpft hatten.

Vier solcher Tage waren genug, und so entschieden der Premier und seine Gattin sich unter einem Vorwand (»Ärger im Nahen Osten«) für eine verfrühte Abreise. An ihrem letzten Abend wurde rasch ein Charade-Wettstreit organisiert, wobei die Auswahl der zu ratenden wohlbekannten Zitate oder Sprüche offenbar zu den seltener genutzten Vorrechten der Monarchin gehörte, und mochten sie ihr selbst auch wohlbekannt sein, allen anderen – den Premierminister eingeschlossen – blieben sie ein Rätsel.

Der Premier verlor nicht gern, nicht einmal gegen die Queen, und es war kein Trost, von einem der Prinzen anvertraut zu bekommen, dass ohnehin nur sie gewinnen konnte, da die Aufgaben (von denen mehrere sich auf Proust bezogen) von Norman gestellt wurden und aus ihrem gemeinsamen Lesestoff stammten.

Hätte Ihre Majestät eine ganze Reihe längst erloschener Vorrechte wiederbelebt, wäre der Premierminister kaum verärgerter gewesen, und so verlor er nach seiner Rückkehr in die Hauptstadt keine Zeit, seinen Berater auf Sir Kevin anzusetzen, der dem Premier sein volles Mitgefühl aussprach, jedoch darauf hinwies, dass sie momentan alle an der Bürde Norman zu tragen hätten. Den Regierungsberater beeindruckte das nicht. »Ist dieser Norman vom anderen Ufer?«

Sir Kevin war sich nicht sicher, aber er hielt es für möglich.

»Und weiß sie das?«

»Ihre Majestät? Wahrscheinlich.«

»Und weiß es die Presse?«

»Ich denke, die Presse«, sagte Sir Kevin und mahlte die Kiefer, »ist das Letzte, was wir gebrauchen können.«

»Ganz genau. Ich kann die Sache also Ihnen überlassen?«

Es begab sich nun, dass ein Staatsbesuch in Kanada anstand, ein Vergnügen, das Norman entging, da er seine Ferien lieber daheim in Stockton-on-Tees verbrachte. Er hatte jedoch alle nötigen Vorkehrungen getroffen und eine sorgfältig ausgewählte Bücherkiste gepackt, die Ihre Majestät vom Atlantik bis zum Pazifik beschäftigen würde. Soweit Norman wusste, waren die Kanadier nicht gerade ein Volk des Buches, und der Terminplan war so eng, dass Ihre Majestät kaum dazu kommen dürfte, in Buchhandlungen zu stöbern. Sie freute sich schon auf die Reise, da ein großer Teil der Strecke mit der Bahn zurückgelegt werden sollte, und sie stellte sich vor, in stiller Abgeschiedenheit über den Kontinent zu rollen, während sie in ihrem Samuel Pepys blätterte, den sie zum ersten Mal las.

Doch tatsächlich erwies sich der Besuch oder zumindest sein Beginn als katastrophal. Die Queen war gelangweilt, wenig kooperativ und mürrisch, was ihr Hofstaat allzu gern auf ihre Lektüre geschoben hätte, wenn nicht in diesem Fall gerade die fehlende Lektüre schuld gewesen wäre, da die Bücher, die Norman für sie eingepackt hatte, unerklärlicherweise verlorengegangen waren. Sie waren mit der königlichen Reisegruppe von Heathrow abgeflogen, tauchten aber erst Monate später in Calgary wieder auf, wo sie zum Mittelpunkt einer hübschen, wenn auch etwas exzentrischen Ausstellung in der städtischen Bücherei wurden. Inzwischen jedoch fehlte Ihrer Majestät die geistige Beschäftigung, und anstatt sich nun auf ihre anstehenden Aufgaben zu konzentrieren, wie es Sir Kevin gehofft hatte, als er die Fehlleitung der Bücher arrangierte, machte die fehlende Ablenkung sie nur übellaunig und schwierig.

Im hohen Norden warteten die wenigen Eisbären, die sich auftreiben ließen, lange auf Ihre Majestät, und als die sich nicht blicken ließ, machten sie sich auf einer vielversprechenden Scholle davon. Zahllose Holzstämme verkeilten sich im Fluss, Gletscher kalbten ins eisige Meer, alles vom königlichen Gast unbeachtet, denn die blieb in ihrer Kabine.

»Willst du dir den St.-Lorenz-Strom nicht ansehen?«, fragte ihr Gatte.

»Ich habe ihn vor fünfzig Jahren für die Schifffahrt eröffnet. Er wird sich kaum verändert haben.«

Selbst die Rocky Mountains wurden nur eines müden Blickes gewürdigt und die Niagarafälle ganz ignoriert (»Ich habe sie schon dreimal gesehen«), also fuhr der Herzog allein hin.

Es begab sich jedoch, dass die Queen bei einem Empfang für kanadische Kulturgrößen mit Alice Munro ins Gespräch kam, und als sie erfuhr, dass diese Romane und Kurzgeschichten veröffentlicht hatte, bat sie um eines ihrer Bücher, das sie mit großem Vergnügen las. Und es kam noch besser: Ms. Munro versorgte sie gern mit einer ganzen Reihe weiterer Werke.

»Kann es eine größere Freude geben«, vertraute sie ihrem Tischnachbarn an, dem kanadischen Außenhandelsminister, »als auf eine Autorin zu stoßen, die einem gefällt, und dann herauszufinden, dass sie nicht bloß ein oder zwei Bücher, sondern mindestens ein Dutzend geschrieben hat?«

Und alle, auch wenn sie das nicht extra erwähnte, schon im Taschenbuch und daher in Handtaschengröße erhältlich. Sofort wurde eine Postkarte an Norman verschickt, damit er die wenigen vergriffenen Werke sofort aus der Bibliothek besorgte, sodass sie bei ihrer Rückkehr für sie bereitstünden. Was für ein Vergnügen!

Aber Norman war nicht mehr da.

Am Tag vor seiner Abreise zu den Schönheiten, die Stockton-on-Tees zu bieten hat, wurde Norman in Sir Kevins Büro gebeten. Der Berater des Premierministers hatte gefordert, Norman zu feuern; Sir Kevin konnte den Berater nicht leiden; Norman konnte er auch nicht leiden, aber den Berater noch weniger, und das war Normans Rettung. Außerdem fand Sir Kevin es vulgär, jemanden zu feuern. Es gab doch elegantere Lösungen.

»Ihre Majestät legt immer Wert darauf, ihren Angestellten Fortbildung und Besserstellung zu ermöglichen«, sagte der Privatsekretär großmütig. »Sie findet Ihre Dienste zwar mehr als zufriedenstellend, dennoch würde es sie interessieren, ob Sie je über ein Universitätsstudium nachgedacht haben?«

»Studium?«, fragte Norman, der noch nie daran gedacht hatte.

»Genauer gesagt, ein Literaturstudium an der Universität von East Anglia. Es gibt dort ein sehr gutes Englisches Seminar und auch ein Institut für Kreatives Schreiben. Ich darf von den dort Unterrichtenden nur folgende Namen nennen«, hier sah Sir Kevin auf seine Notizen, »Ian McEwan, Rose Tremain und Kazuo Ishiguro …«

»Ja«, sagte Norman, »die haben wir gelesen.«

Der Privatsekretär zuckte beim Gebrauch des ›wir‹ zusammen, sagte jedoch, Norman wäre seiner Ansicht nach an der Universität von East Anglia sehr gut aufgehoben.

»Aber wovon soll ich das bezahlen?«, fragte Norman. »Ich habe kein Geld.«

»Das sollte kein Problem sein. Ihre Majestät möchte Ihnen da auf keinen Fall Steine in den Weg legen, sondern vielmehr den Weg freimachen.«

»Ich glaube, ich würde lieber hier bleiben«, sagte Norman. »Was ich hier tue, bildet auch weiter.«

»Mmja nun«, sagte der Privatsekretär, »das wird leider nicht gehen. Ihre Majestät hat da jemand anderen im Auge. Natürlich«, hier lächelte er hilfsbereit, »steht Ihr Arbeitsplatz in der Küche jederzeit wieder zur Verfügung.«

Und so hockte Norman nach der Rückkehr der Queen aus Kanada nicht mehr auf seinem üblichen Stuhl in der Ecke des Korridors. Sein Stuhl war leer, vielmehr war der Stuhl gar nicht mehr da, ebenso wenig wie der tröstliche Bücherstapel auf dem Nachttisch, an den sie sich schon so gewöhnt hatte. Noch drängender jedoch war das Problem, dass sie mit niemandem über die großen literarischen Qualitäten Alice Munros sprechen konnte.

»Er war nicht gerade beliebt, Ma'am«, sagte Sir Kevin.

»Bei mir war er beliebt«, sagte die Queen. »Wo ist er hin?«

»Keine Ahnung, Ma'am.«

Norman war ein sensibler Junge und schrieb der Queen einen langen, geschwätzigen Brief über seine Seminare und seine Leselisten, doch als der Antwortbrief mit den Worten »Herzlichen Dank für Ihren Brief, den Ihre Majestät mit großem Interesse gelesen hat« anfing, wurde ihm klar, dass er aus ihrem Leben gedrängt worden war, ohne allerdings genau zu wissen, ob sie selbst oder ihr Privatsekretär die treibende Kraft dahinter war.

Wenn Norman auch im Unklaren blieb, so hegte die Queen selbst doch keine Zweifel, wer für seinen Abgang gesorgt hatte. Norman war es ebenso ergangen wie dem Bücherbus oder der Bücherkiste, die in Calgary gelandet war. Er hatte wie das Buch aus der Staatskarosse noch Glück gehabt, dass man ihn nicht gesprengt hatte. Natürlich vermisste sie ihn, gar kein Zweifel. Aber da weder Brief noch Nachricht kam, gab es keine andere Wahl, als grimmig entschlossen weiterzumachen. Vom Lesen jedenfalls sollte sie das nicht abhalten.

Es mag überraschen und ein schlechtes Licht auf ihren Charakter werfen, dass die Queen sich Normans plötzlichen Verschwindens wegen nicht mehr Gedanken machte. Doch solch unverhofftes Fehlen, solche plötzlichen Abgänge gehörten schon immer zu ihrem Leben. Man teilte ihr zum Beispiel selten mit, wenn jemand krank war; Sorge oder auch nur Mitgefühl brauchte sie als Königin nicht zu empfinden, fand jedenfalls ihr Hofstaat. Wenn der Tod tatsächlich einmal, wie es unglücklicherweise vorkam, einen Diener oder gar einen Freund traf, dann erfuhr die Queen erst zu diesem Anlass, dass es Grund zur Sorge gegeben hatte, denn ein Leitsatz all ihrer Diener lautete: »Wir dürfen Ihrer Majestät keine Sorgen bereiten.«

Norman war natürlich nicht gestorben, sondern nur an die Universität von East Anglia gegangen, auch wenn das für viele Hofbeamte kaum einen Unterschied machte, denn er war aus dem Leben Ihrer Majestät geschieden und existierte daher nicht mehr, sein Name wurde weder von der Queen noch von sonst irgendwem je wieder erwähnt. Doch der Queen sollte man dafür keine Schuld zuweisen, da waren sich alle Untergebenen einig; die Queen war nie an etwas schuld. Menschen starben, Menschen gingen, Menschen tauchten (das immer öfter) in der Zeitung auf. Für sie waren das alles Abgänge der einen oder anderen Art. Die verschwanden, sie aber machte weiter.

Weniger freundlich war vielleicht, dass die Queen sich schon vor Normans rätselhaftem Verschwinden gefragt hatte, ob sie ihm nicht inzwischen enteilt war … oder vielleicht eher ent-lesen. Einst war er ihr demütiger und geradliniger Führer in die Welt der Bücher gewesen. Er hatte ihr geraten, was sie lesen sollte und was nicht, und hatte auch nicht gezögert, ihr zu sagen, dass sie für ein bestimmtes Werk noch nicht so weit sei. Beckett hatte er ihr zum Beispiel lange vorenthalten, Nabokov ebenso, und mit Philip Roths Werk hatte er sie nur schrittweise vertraut gemacht (wobei *Portnoys Beschwerden* ganz unten auf der Liste stand).

Doch hatte sie zunehmend einfach gelesen, worauf sie Lust hatte, und Norman ebenso. Sie hatten sich über ihre Lektüre ausgetauscht, allerdings hatte sie dabei immer mehr das Gefühl, wegen ihrer

Lebenserfahrung im Vorteil zu sein; Bücher konnten einen nicht alles lehren. Außerdem hatte sie
entdeckt, dass Normans Vorlieben manchmal mit
Vorsicht zu genießen waren. Wenn sonst keine Kri-
terien den Ausschlag gaben, bevorzugte er immer
noch homosexuelle Autoren, weshalb sie auch in
den Genuss Genets gekommen war. Manche davon gefielen ihr – die Romane Mary Renaults beispielsweise faszinierten sie –, auf andere Autoren
abweichender Neigungen war sie weniger verses-
sen: Denton Welch zum Beispiel (einer von Normans Lieblingen) fand sie eher ungesund; bei Isher-
wood wurde ihr zu viel sinniert. Als Leserin
mochte sie es forsch und geradeheraus; sie wollte
sich keinesfalls in irgendetwas *suhlen*.

Da sie nun nicht mehr mit Norman reden konnte, führte die Queen immer längere Selbstgespräche
und brachte immer mehr Gedanken zu Papier, sodass aus einem Notizbuch viele wurden, die sich
weitreichenden Themen widmeten. »Ein Weg zum
Glück ist es, ohne Ansprüche zu sein.« Sie machte
ein Sternchen daneben und setzte als Fußnote darunter: »Diese Erfahrung blieb mir in meiner Stellung allerdings immer verwehrt.«

»Als ich einmal, ich glaube, Anthony Powell
zum *Companion of Honour* erhob, sprachen wir über
schlechtes Benehmen. Er selbst war bemerkenswert
höflich, sogar förmlich, und erklärte, Schriftsteller
zu sein enthebe einen nicht der Verpflichtung,
Mensch zu bleiben. Während es sich bei der Queen
(auch wenn man das damals nicht gesagt hat) an-

ders verhält. Ich muss zwar die ganze Zeit wie ein Mensch wirken, aber selten einer sein. Dafür habe ich meine Leute.«

Zusätzlich zu derlei Einsichten notierte sie immer öfter Beschreibungen der Menschen, denen sie begegnete, und nicht unbedingt der berühmten: Eigenarten, Redeweisen, auch Geschichten, die man ihr – oft vertraulich – erzählte. Wenn in irgendeiner Zeitung ein Skandalartikel über die königliche Familie erschien, hielt sie in ihrem Notizbuch die wahren Begebenheiten fest. War der Öffentlichkeit ein Skandal entgangen, schrieb sie ihn ebenfalls auf, und alles in jenem vernünftigen, bodenständigen Ton, den sie immer mehr als ihren eigenen Stil erkannte und zu schätzen wusste.

Ihre Lektüre nahm zwar durch Normans Abwesenheit keinen Schaden, doch einen etwas anderen Verlauf. Sie bestellte zwar weiterhin Bücher aus der London Library und im Buchhandel, aber ohne Norman konnte sie das nicht mehr im Geheimen tun. Nun musste sie ihre Kammerzofe fragen, die sich dann an den Hofrechnungsprüfer wandte, bevor sie das Bargeld zum Kauf in die Hand bekam. Das dauerte ermüdend lange, und sie umging die Formalitäten gelegentlich, indem sie eines ihrer unbedeutenderen Enkelkinder bat, ihr Bücher zu besorgen. Die taten ihr gern den Gefallen und waren erfreut, überhaupt wahrgenommen zu werden, da ja die Öffentlichkeit kaum von ihrer Existenz wusste. Doch immer häufiger bezog die Queen ihren Lesestoff aus den eigenen Bibliotheken, vor allem aus der in Windsor, wo es zwar kein unbeschränktes Angebot an modernen Büchern gab, aber immerhin zahlreiche klassische Romane auf den Regalen standen, viele davon natürlich handsigniert – Balzac, Turgenjew, Fielding, Conrad; Bücher, die ihr vor nicht allzu langer Zeit als zu hoch erschienen wären, die sie jetzt jedoch rasch durchmaß, immer den Bleistift zur Hand. Im Verlauf dieser Klassikerlektüre versöhnte sie sich sogar wieder mit Henry James, dessen Abschweifungen sie inzwischen leichter ertrug: »Schließlich«, so notierte sie, »muss ein Roman nicht der Vogelfluglinie folgen.« Als der Bibliothekar von Windsor sie am Fenster sitzen sah, wo sie die letzten Sonnenstrahlen nutzte, dachte er bei sich, dass diese ehrwürdigen Regale sicher seit George III. keinen eifrigeren Leser gesehen hatten.

Dieser Bibliothekar war auch einer von vielen gewesen, der Ihrer Majestät den Charme von Jane Austens Romanen anempfohlen hatte, doch nachdem Ma'am von allen Seiten versichert wurde, wie sehr sie Ma'am gefallen würde, verspürte Ma'am keinerlei Verlangen mehr nach ihr. Außerdem hinderten sie bei der Lektüre ganz persönliche Beschränkungen. Die Essenz der Kunst Jane Austens liegt in feinsten gesellschaftlichen Distinktionen, und von der einzigartigen Warte der Queen aus waren diese Unterscheidungen nur schwer auszumachen. Zwischen der Monarchin und selbst ihren höherrangigen Untertanen lag immer noch ein solcher Abgrund, dass alle weitergehenden sozialen

Differenzen für sie in weite Ferne rückten. Diese Unterschiede, die bei Jane Austen eine so ungeheure Rolle spielten, hatten also für die Queen noch weniger Bedeutung als für den gewöhnlichen Leser, und das machte die Lektüre zäh. Zu Anfang waren Jane Austens Romane für sie so etwas wie Insektenforschung, und die Figuren waren vielleicht nicht direkt Ameisen, aber doch nur mit Hilfe eines Mikroskops zu unterscheiden. Erst mit zunehmendem Verständnis sowohl der Literatur als auch der menschlichen Natur gewannen sie an individueller Note und Charme.

Auch der Feminismus hatte bei ihr zunächst aus ganz ähnlichen Gründen kein leichtes Spiel, denn wie Klassenunterschiede schienen ihr auch Geschlechterdifferenzen angesichts des weiten Grabens zwischen der Queen und dem Rest der Menschheit unbedeutend zu sein.

Aber mochte es nun Jane Austen oder Feminismus oder sogar Dostojewski sein, irgendwann ließ sich die Queen doch darauf ein und auf vieles andere mehr, aber selten ganz ohne nachträgliches Bedauern. Vor Jahren hatte sie einmal bei einem Dinner in Oxford neben Lord David Cecil gesessen und kein Gesprächsthema gehabt. Sie fand nun heraus, dass er Bücher über Jane Austen geschrieben hatte, und heute hätte sie ein Treffen mit ihm genossen. Doch Lord David war tot, es war also zu spät. Zu spät. Es war alles zu spät. Aber sie machte weiter, entschlossen wie immer und bemüht, aufzuholen.

Auch der Hof machte weiter, der Haushalt lief rund wie immer, die Umzüge von London nach Windsor nach Norfolk nach Schottland gingen scheinbar mühelos vonstatten, jedenfalls von ihrer Warte aus, sodass sie sich manchmal bei der ganzen Veranstaltung beinahe überflüssig vorkam, da sich die ganzen Übergänge und Verschiebungen so völlig losgelöst von der Person in ihrem Mittelpunkt vollzogen. Ein Ritual des Abfahrens und Ankommens, bei dem sie im Grunde nur ein Gepäckstück war; zweifellos das wichtigste, aber dennoch nur Gepäck.

In einer Hinsicht jedoch verliefen die königlichen Reisen noch glatter als in den Jahren zuvor, denn die Person, um die sich alles drehte, hatte die Nase fast immer in ein Buch gesteckt. Sie stieg am Buckingham-Palast in den Wagen und am Schloss Windsor wieder aus, ohne je Waughs Captain Crouchback bei der Evakuierung Kretas von der Seite zu weichen. Sie flog in der erfreulichen (wenn auch bisweilen anstrengenden) Gesellschaft Tristram Shandys nach Schottland, und wenn er sie zu langweilen begann, war Trollope (Anthony) nicht fern. Das alles machte aus ihr eine anspruchslose und willfährige Reisende. Sicherlich war sie nicht immer so pünktlich auf die Sekunde wie früher, und der wartende Wagen mit dem zusehends gereizter werdenden Herzog auf dem Rücksitz wurde ein vertrauter Anblick unterm Baldachin des Schlosshofs, aber wenn sie schließlich herausgeeilt kam, war *sie* kein bisschen gereizt, denn sie hatte ihr Buch.

Ihr Haushalt jedoch musste solchen Trostes entbehren, und vor allem die Hofbeamten und die gehobene Dienerschaft wurden zunehmend unruhig und kritisch. Der Hofbeamte, so gediegen und von exquisiten Manieren er auch scheinen mag, ist doch im Grunde nur ein Inspizient; zwar weiß er (und gelegentlich auch sie) genau, wann Ehrerbietung geschuldet wird, aber genauso gut, dass es sich eigentlich um eine Darbietung handelt, die er beaufsichtigt und in der Ihre Majestät die Hauptrolle spielt.

Das Publikum – und wenn es um die Queen geht, sind alle Publikum – weiß zwar auch, dass es Zeuge einer Aufführung wird, redet sich aber gern ein, dass es doch nicht ganz so ist und dass es womöglich gelegentlich einen kleinen Blick hinter die Kulissen werfen, Zeuge eines ›natürlicheren‹ oder ›echteren‹ Verhaltens werden kann – eine hier und da aufgeschnappte Bemerkung vielleicht (»Jetzt könnte ich einen Gin Tonic vernichten« von der verstorbenen Königinmutter, »verfluchte Köter« vom Herzog von Edinburgh), oder der Anblick der Queen, die sich bei der Gartenparty auf einem Stuhl niederlässt und dankbar die Schuhe abstreift. In Wirklichkeit sind solche angeblich unbewachten Momente natürlich genauso Theater wie die offiziellsten Auftritte der königlichen Familie. Man könnte sagen, bei diesen Vorstellungen wird Normalität gespielt, und das geht genauso geplant vor sich wie ein Staatsempfang, auch wenn die Augen- oder Ohrenzeugen glauben, die Queen und ihre Familie in einem menschlichen

Moment ertappt zu haben. Formell oder informell, es gehört alles zur Selbstdarstellung, an der die Hofbeamten mitarbeiten und die für die Öffentlichkeit, abgesehen von diesen scheinbar spontanen Augenblicken, wie ein nahtloses Ganzes wirkt.

Erst nach und nach dämmerte es den Dienern, dass diese vorgeblich ehrlichen Momente, in denen man die Queen sah, wie sie ›wirklich war‹, sich immer seltener ereigneten. Zwar kam Ihre Majestät all ihren Pflichten sorgfältig nach, doch das war auch alles: Sie tat nicht mehr so, als würde sie das Protokoll gelegentlich durchbrechen und eine unverhoffte Bemerkung einfließen lassen (»Vorsicht« vielleicht, wenn sie einem jungen Mann einen Orden anheftete, »ich will Ihnen ja nicht das Herz durchbohren«), eine Bemerkung, die man mit nach Hause nehmen und in Ehren halten konnte, so wie die Einladungskarte, den königlichen Parkausweis und den Plan des Palastbezirks.

Heutzutage war sie nur noch förmlich, lächelte zwar anscheinend von Herzen, doch wich sie auch nicht vom vorgeschriebenen Weg ab, um die Prozeduren aufzulockern, wie sie es früher getan hatte. »Schwache Vorstellung«, dachten die Hofbeamten und meinten tatsächlich, dass Ihre Majestät einen lahmen Auftritt hingelegt hatte. Doch konnten sie es sich nicht erlauben, auf diesen Mangel hinzuweisen, da auch sie die Täuschung aufrechterhielten, bei den spontanen Momenten handele es sich um ungeplante, natürliche Ereignisse, den echten Ausfluss Ihrer Majestäts Sinn für Humor.

Es war bei einer Amtseinführung gewesen.

»Heute weniger spontan, Ma'am«, wagte einer der kühneren Adjutanten einzuwerfen.

»Wirklich?«, fragte die Queen, die sich noch vor kurzer Zeit selbst mildeste Kritik solcher Art verbeten hätte, inzwischen jedoch kaum beeindruckt schien. »Ich glaube, ich weiß auch, wieso. Wissen Sie, Gerald, wenn die Menschen vor einem knien, schaut man ihnen ziemlich lange auf den Kopf, und aus diesem Blickwinkel wirkt noch die unsympathischste Gestalt anrührend: hier eine lichter werdende Stelle, dort das Haar, das über den Kragen wächst. Man bekommt beinahe mütterliche Gefühle.«

Nie zuvor hatte sie dem Hofbeamten gegenüber derartige Vertraulichkeiten geäußert, und er hätte geschmeichelt sein sollen, doch stattdessen war es ihm nur unangenehm und peinlich. Hier hatte die Monarchin tatsächlich einmal ihre menschliche Seite gezeigt, von der er nichts geahnt hatte und die ihm (anders als die vorgespielten) nicht ganz geheuer war. Und während die Queen selbst vermutete, ihre Gefühle seien wahrscheinlich eine Folge ihrer Lektüre, hatte der junge Mann eher den Eindruck, dass ihr Alter sich langsam bemerkbar mache. So verwechselte man keimendes Verständnis mit schleichender Vergreisung.

Sie selbst war gegen Verlegenheit immun, auch gegen solche, deren Ursache sie sein mochte, und daher wäre der Queen die Verwirrung des jungen Mannes früher gar nicht aufgefallen. Doch da sie nun aufmerksamer war, beschloss sie angesichts seiner Not, ihre Gedanken in Zukunft weniger freimütig mitzuteilen, was eigentlich schade war, denn viele Menschen ihres Landes sehnten sich gerade danach. Stattdessen beschränkte sie vertrauliche Anmerkungen auf ihre Notizbücher, wo sie niemandem schaden konnten.

Die Queen hatte nie demonstrativ gehandelt; so war sie nicht erzogen worden. Doch in letzter Zeit, besonders in der Phase nach dem Tod von Prinzessin Diana, wurde zunehmend von ihr verlangt, Gefühle öffentlich zu machen, die sie lieber für sich behalten hätte. Zu jener Zeit hatte sie allerdings noch nicht zu lesen angefangen, und erst jetzt verstand sie, dass ihre Situation nicht einzigartig war, dass es neben anderen Lears Tochter Cordelia ganz ähnlich ging. In ihrem Büchlein notierte sie: »Ich verstehe Shakespeare zwar nicht immer, aber den Satz ›Ich kann nicht mein Herz auf meine Lippen heben‹ unterschreibe ich voll und ganz. Ihre Lage ist auch die meine.«

Obschon die Queen ihre Aufzeichnungen immer sehr diskret verfasste, blieb der Adjutant beunruhigt. Er hatte sie ein- oder zweimal dabei ertappt und fand, auch dies deute auf mögliche Geistesschwäche hin. Was musste Ihre Majestät sich da notieren? Das hatte sie früher nie getan, und wie jede Änderung des Verhaltens bei älteren Menschen wurde es rasch als Verfall gedeutet.

»Wahrscheinlich Alzheimer«, sagte ein anderer junger Diener. »Da muss man ihnen doch alles aufschreiben, oder?« Zusammen mit der wachsenden Gleichgültigkeit Ihrer Majestät ihrer äußeren Erscheinung gegenüber befürchteten ihre Untergebenen das Schlimmste.

Dass man bei der Queen die Alzheimer'sche Krankheit vermutete, war an sich schon schlimm genug und rief das übliche menschliche Mitgefühl hervor, aber für Gerald und die anderen Diener gab es noch einen subtileren Grund, sie zu bemitleiden. Es schien ihm besonders traurig, dass gerade die Queen, die immer ein so abgehobenes Leben geführt hatte, nun wie so viele ihrer Untertanen diesem würdelosen Niedergang anheimfallen sollte. Er fand, eine solche Entwicklung verlange nach einer königlichen Rückzugsmöglichkeit, wo ihr Verhalten (oder das der Monarchen im Allgemeinen) mit mehr Gelassenheit oder gar Sorglosigkeit betrachtet würde, bevor man ihm die gleichmacherische Bezeichnung einer allzu gewöhnlichen Krankheit, Alzheimer nämlich, anheftete. Man hätte einen Syllogismus daraus konstruieren können, wenn Gerald gewusst hätte, was ein Syllogismus war: Alzheimer ist gewöhnlich, die Queen ist nicht gewöhnlich, daher hat die Queen nicht Alzheimer.

Hatte sie natürlich auch nicht, tatsächlich war ihr Verstand nie schärfer gewesen, und im Gegensatz zu ihrem Diener hätte sie mit Sicherheit gewusst, was ein Syllogismus ist.

Und worin bestand dieser Verfall überhaupt, abgesehen von ihren Notizen und ihrer inzwischen üblichen leichten Verspätung? Vielleicht in einer wiederholt angelegten Brosche oder einem zweimal getragenen Paar Hofschuhe. Tatsächlich kümmerte es Ihre Majestät nicht oder nicht mehr so sehr, und da sie selbst weniger darauf achtete, wurde auch ihre Dienerschaft, schließlich auch nur Menschen, etwas nachlässiger und ließ die Dinge schleifen, wie es die Queen zuvor niemals toleriert hätte. Die Queen hatte sich immer mit größter Sorgfalt gekleidet. Sie hatte ein geradezu enzyklopädisches Gedächtnis, was ihre Garderobe und ihre vielfältigen Accessoires betraf, und achtete penibel darauf, sie regelmäßig zu wechseln. Jetzt nicht mehr. Eine gewöhnliche Frau, die innerhalb von vierzehn Tagen zweimal dasselbe Kleid trug, würde man nicht als liederlich oder achtlos betrachten. Doch bei der Queen, deren Garderobewechsel bis zur letzten Gürtelschnalle ausgearbeitet war, signalisierten solche Wiederholungen eine dramatische Vernachlässigung der selbstgesetzten Standards.

»Ist es Ma'am egal?«, fragte eine Zofe kühn.

»Ist was egal?«, fragte die Queen zurück, was zwar auch eine Antwort war, aber die Zofe kaum zufriedenstellte, sondern sie vielmehr davon überzeugte, dass etwas grundsätzlich im Argen lag, sodass sich neben ihren Hofbeamten nun auch ihre Hausangestellten auf einen längeren Niedergang einstellten.

Obschon er sie jede Woche sah, blieben der gelegentliche Mangel an Veränderung im Aufzug oder die gleichbleibenden Ohrringe Ihrer Majestät vom Premierminister unbemerkt.

Das war nicht immer so gewesen, zu Beginn seiner Amtszeit hatte er der Queen des Öfteren Komplimente zu ihrer Garderobe und ihrem immer diskreten Schmuck gemacht. Da war er natürlich auch noch jünger gewesen und hatte es als eine Art Flirt betrachtet, obwohl es auch ein Zeichen von Nervosität war. Auch sie war jünger gewesen, allerdings kein bisschen nervös und lange genug im Rennen, um zu wissen, dass dies nur eine Phase war, welche die meisten Premierminister durchmachten (Ausnahmen waren Mr. Heath und Mrs. Thatcher), und dass das Flirten nachließ, sobald die wöchentlichen Gespräche zur Gewohnheit wurden.

Auch das gehörte zum Mythos der Queen und ihres Premierministers: dass die schwindende Aufmerksamkeit des Premiers für das Äußere Ihrer Majestät einherging mit dem nachlassenden Interesse an ihren Äußerungen, dass beides immer weniger wichtig schien, sodass die Queen sich mit Ohrringen oder ohne bei ihren gelegentlichen Kommentaren vorkam wie eine Stewardess, die den Fluggästen die Sicherheitsvorkehrungen erläutert, und die Miene des Premiers jene wohlmeinende, aber stark reduzierte Aufmerksamkeit spiegelte, die sich beim erfahrenen Flugpassagier findet, der das alles schon oft gehört hat.

Doch nicht nur er wurde unaufmerksam und gelangweilt, auch sie reute die Zeit, welche für diese Treffen verschwendet wurde, da sie nun lieber lesen wollte, und so gedachte sie, das Prozedere durch Bezüge auf ihre Lektüre und ihr gewachsenes geschichtliches Wissen zu beleben.

Das war keine gute Idee. Der Premierminister glaubte nicht recht an die Vergangenheit oder an irgendwelche Lehren, die aus ihr zu ziehen seien. Als er ihr eines Abends einen Vortrag über den Konflikt im Mittleren Osten hielt, wagte sie einzuwerfen: »Das ist die Wiege der Zivilisation, wie Sie wissen.«

»Und sie soll es auch wieder werden, Ma'am«, entgegnete der Premierminister, »wenn man unseren Vorschlägen folgt«, dann bog er rasch in eine thematische Nebenstraße und berichtete von dort neu verlegten Kanalrohren und landesweiter Versorgung mit Stromumspannwerken.

Wieder unterbrach sie ihn. »Man sollte doch hoffen, dass das den archäologischen Fundstätten nicht zum Schaden gereichen wird. Kennen Sie Ur?«

Kannte er nicht. Beim Gehen reichte sie ihm also einige hilfreiche Bücher. In der folgenden Woche fragte sie ihn, ob er sie gelesen habe (hatte er nicht).

»Sie waren hochinteressant, Ma'am.«

»Na, dann muss ich Ihnen noch mehr davon besorgen. Ich finde das Thema faszinierend.«

Diesmal kam das Gespräch auf den Iran, also fragte sie ihn, ob er die Geschichte Persiens beziehungsweise des Irans kenne (er hatte die beiden bisher kaum in Verbindung gebracht), und gab ihm auch darüber gleich noch ein Buch mit. Sie entwickelte im Allgemeinen ein solch lebhaftes Interesse, dass er nach zwei oder drei solchen Sitzungen den Dienstagabenden, die er bisher immer als Oase der Ruhe in seiner hektischen Woche betrachtet hatte, mit wachsender Anspannung entgegensah. Sie befragte ihn sogar zu den ausgeliehenen Büchern, als handele es sich um Hausaufgaben. Als sie merkte, dass er sie nicht gelesen hatte, lächelte sie nachsichtig.

»Meine Erfahrung mit Premierministern ist, Herr Premierminister, dass sie mit Ausnahme Mr. Macmillans andere für sich lesen lassen.«

»Man ist doch sehr beschäftigt, Ma'am«, sagte der Premierminister.

»Man ist beschäftigt«, stimmte sie zu und griff nach ihrem Buch. »Wir erwarten Sie dann nächste Woche wieder.«

Schließlich bekam Sir Kevin einen Anruf vom Berater des Premierministers.

»Ihre Chefin macht meinem Chef das Leben schwer.«

»Ach ja?«

»Ach ja. Sie gibt ihm Bücher zu lesen. Das geht gar nicht.«

»Ihre Majestät liest gern.«

»Ich lasse mir gern den Schwanz lutschen. Aber darum bitte ich nicht den Premierminister. Irgendwelche Vorschläge, Kevin?«

»Ich werde mit Ihrer Majestät sprechen.«

»Das machen Sie mal, Kev. Und sagen Sie ihr, sie soll das schön bleiben lassen.«

Sir Kevin sprach nicht mit Ihrer Majestät und sagte ihr erst recht nicht, sie solle es schön bleiben lassen. Stattdessen sprang er über seinen Schatten und besuchte Sir Claude.

Im kleinen Garten seines reizenden Hofdiensthäuschens aus dem siebzehnten Jahrhundert in Hampton Court saß Sir Claude Pollington und las. Vielmehr sollte er eigentlich lesen, aber stattdessen döste er über einer Kiste vertraulicher Dokumente, die ihm aus der Bibliothek von Windsor gesandt worden waren, ein Privileg, das ihm als altehrwürdigem Diener der Krone zustand, der inzwischen die neunzig überschritten hatte, aber angeblich immer noch an seinen Memoiren schrieb, die den Arbeitstitel *Mühsal der Monarchie* trugen.

Sir Claude war direkt nach dem Besuch der Privatschule von Harrow in den königlichen Dienst getreten, als achtzehnjähriger Page Georges V., und eine seiner ersten Aufgaben war es gewesen, wie er sich gern erinnerte, die Klebefalze anzulecken, mit denen dieser reizbare und pedantische Monarch seine Briefmarken in zahlreichen Alben zu befestigen pflegte. »Sollte es irgendein Problem geben, mein Erbgut zu bestimmen«, hatte er Sue Lawley einst in der Radiosendung *Welche Platten nehmen Sie mit auf eine einsame Insel?* anvertraut, »dann bräuchte man bloß hinter den Briefmarken in Dutzenden königlicher Alben zu sammeln, vor allem, wie ich mich entsinne, hinter den Marken von Tanna-Tuva, die Seine Majestät zwar vulgär oder gar gewöhnlich fand, die zu sammeln er sich aber dennoch verpflichtet fühlte. Was ganz typisch war für Seine Majestät … gewissenhaft bis zum Exzess.« Dann hatte er sich eine Aufnahme von Master Ernest Lough mit dem Lied *O for the Wings of a Dove* (›O könnt ich fliegen wie die Tauben dahin‹) gewünscht.

In seinem kleinen Salon drängten sich auf jeder freien Wandfläche gerahmte Photographien der verschiedenen königlichen Häupter, denen Sir Claude so treu gedient hatte. Da war er in Ascot, wie er dem König das Fernglas hielt; hier hockte er im Heidekraut, während Seine Majestät einen fernen Hirsch ins Fadenkreuz nahm. Dort trat er hinter Queen Mary aus einem Antiquitätengeschäft in Harrogate, wobei das Gesicht des jungen Pollington von einer eingepackten Wedgwood-Vase verdeckt wurde, die der hilflose Händler Ihrer Majestät widerwillig überlassen hatte. Und auch da war er zu sehen, diesmal im gestreiften Pullover als Teil der Besatzung der Yacht *Nahlin* auf jener schicksalhaften Mittelmeerkreuzfahrt, und die Dame mit der Seglermütze war eine gewisse Mrs. Simpson – dieses Photo kam und ging, jedenfalls war es nie zu sehen, wenn Königinmutter Elizabeth wieder einmal zum Tee hereinschaute.

Es gab nicht viele Ereignisse im Leben der königlichen Familie, derer Sir Claude nicht Zeuge geworden war. Nach seinen Diensten für George V. war er kurze Zeit im Haushalt Edwards VIII. beschäftigt gewesen, um dann nahtlos in den Dienst dessen Bruders George VI. überzutreten. Er hatte im königlichen Haushalt zahlreiche Ämter bekleidet und zuletzt als Privatsekretär der Queen gedient. Noch lange nach seiner Versetzung in den Ruhestand wurde er häufig um Rat gefragt; er verkörperte exemplarisch die höchste Vertrauensempfehlung der besseren Kreise, die sprichwörtlichen ›sicheren Hände‹.

Inzwischen jedoch zitterten diese Hände merklich, und auch in Sachen Körperhygiene war er weniger sorgsam als früher, sodass Sir Kevin selbst im duftenden Garten in seiner Nähe den Atem anhalten musste.

»Sollen wir hineingehen?«, fragte Sir Claude. »Dort könnte Tee serviert werden.«

»Nein, nein«, sagte Sir Kevin hastig. »Hier draußen ist es besser.«

Er legte das Problem dar.

»Lesen?«, fragte Sir Claude nach. »Das kann doch niemandem schaden, oder? Da schlägt Ihre Majestät nach ihrer Namensvetterin, der ersten Elizabeth. Die war auch eine eifrige Leserin. Damals gab es natürlich weniger Bücher. Und auch die Königinmutter Elizabeth las gern einmal ein Buch. Queen Mary allerdings weniger. George V. genauso wenig. Der war ein großer Briefmarkensammler. So habe ich damals angefangen, müssen Sie wissen. Ich habe seine Klebefalzen angeleckt.«

Jemand noch älteres als Sir Claude selbst brachte Tee nach draußen, und Sir Kevin goss vorsichtig ein.

»Ihre Majestät empfindet große Zuneigung für Sie, Sir Claude.«

»So wie ich für sie«, entgegnete der alte Mann. »Ihre Majestät bezaubert mich schon seit ihrer Kindheit. Mein ganzes Leben lang.«

Und es war ein höchst ehrenwertes Leben gewesen. Im Krieg hatte der junge Pollington mehrere Orden und Tapferkeitsauszeichnungen erhalten und schließlich dem Generalstab angehört.

»Ich habe unter drei Königinnen gedient«, pflegte er zu sagen, »und mich mit allen gut vertragen. Die einzige Queen, mit der ich Probleme hatte, war Feldmarschall Montgomery.«

»Sie hört auf Sie«, sagte Sir Kevin und fragte sich, ob der Biskuitkuchen wohl vertrauenswürdig war.

»Das bilde ich mir auch ein«, sagte Sir Claude. »Aber was soll ich ihr sagen? Lesen. Wie eigenartig. Greifen Sie doch zu.«

Gerade noch rechtzeitig erkannte Sir Kevin, dass der Überzug nicht etwa aus Zuckerguss, sondern aus Schimmel bestand, und schaffte es, sein Stück im Aktenkoffer verschwinden zu lassen.

»Vielleicht könnten Sie sie an ihre Pflichten erinnern?«

»Daran musste Ihre Majestät nie erinnert werden. Wenn Sie mich fragen, ist sie eher zu pflichtbewusst. Lassen Sie mich mal überlegen ...«

Der alte Mann grübelte, und Sir Kevin wartete.

Erst nach einer Weile merkte er, dass Sir Claude eingeschlafen war. Er stand deutlich hörbar auf.

»Ich werde kommen«, sagte Sir Claude. »Ist ein bisschen her seit meinem letzten Ausflug. Sie schicken mir einen Wagen?«

»Natürlich«, sagte Sir Kevin und schüttelte ihm die Hand. »Bitte behalten Sie doch Platz.«

Als er ging, rief Sir Claude ihm nach.

»Sie sind doch der aus Neuseeland, oder?«

»Ich höre«, sagte der Adjutant, »es wäre vielleicht ratsam, wenn Ihre Majestät Sir Claude im Garten empfingen.«

»Im Garten?«

»An der frischen Luft, Ma'am.«

Die Queen schaute ihn an. »Wollen Sie damit sagen, dass er riecht?«

»Offenbar ziemlich, Ma'am.«

»Der Arme.« Was glaubten sie wohl, so fragte sie sich gelegentlich, was sie ihr ganzes Leben getan hatte? »Nein. Er muss nach oben kommen.«

Doch als der Adjutant vorschlug, ein Fenster zu öffnen, lehnte sie nicht ab.

»Weshalb möchte er mich denn sprechen?«

»Ich habe keine Ahnung, Ma'am.«

Sir Claude kam auf seine beiden Gehstöcke gestützt herein, neigte den Kopf an der Tür und noch einmal, als Ihre Majestät ihm die Hand gab und ihn zum Hinsetzen aufforderte. Ihr Lächeln blieb zwar freundlich, und sie ließ sich nichts anmerken, aber ihr Diener hatte nicht übertrieben.

»Wie geht es Ihnen, Sir Claude?«

»Sehr gut, Eure Majestät. Und Ihnen, Ma'am?«

»Sehr gut.«

Die Queen wartete, aber Sir Claude war zu sehr Höfling, um ungefragt ein Thema anzuschneiden, also wartete auch er.

»Aus welchem Grund wollten Sie mich sprechen?«

Während Sir Claude sich zu erinnern versuchte, hatte die Queen Gelegenheit, die dünne Schuppenschicht, die sich auf seinem Jackenkragen gesammelt hatte, die Eigelbflecken auf seiner Krawatte und die schorfigen Ablagerungen in seinen großen, länglichen Ohrmuscheln zu bemerken. Früher hätte sie über solche menschlichen Schwächen hinweggesehen, doch jetzt drängten sie sich in ihr Blickfeld, beeinträchtigten ihre makellose Haltung und waren ihr sogar unangenehm. Der arme Mann. Und dabei hatte er bei Tobruk gekämpft. Das musste sie sich aufschreiben.

»Lesen, Ma'am.«

»Verzeihung?«

»Eure Majestät haben angefangen zu lesen.«

»Nein, Sir Claude. Man hat immer gelesen. Man liest nur dieser Tage ein wenig mehr.«

Nun wusste sie natürlich, warum er gekommen war und wer ihn dazu gebracht hatte, und so war er nicht länger nur Gegenstand ihres Mitgefühls, sondern wurde einer ihrer Verfolger; das Mitleid schwand also, sie fand ihre Fassung wieder.

»Ich finde, Lesen allein kann nicht schaden, Ma'am.«

»Das hört man ja mit Erleichterung.«

»Nur, wenn es ins Extreme getrieben wird. Da liegt das Problem.«

»Wollen Sie mir raten, die Lektüre zu rationieren?«

»Eure Majestät haben immer ein so vorbildliches Leben geführt. Dass Ma'am gerade aufs Lesen verfallen sind, ist beinahe glücklich zu nennen. Wenn Eure Majestät eine andere Beschäftigung mit solchem Eifer betrieben, wäre sicher manche Augenbraue tadelnd in die Höhe gegangen.«

»Womöglich. Allerdings hat man sein Leben lang versucht, genau das zu vermeiden. Manchmal habe ich das Gefühl, das war keine besondere Leistung.«

»Ma'am mochten doch immer gern Pferderennen.«

»Richtig. Im Augenblick allerdings finde ich daran wenig Gefallen.«

»Ach«, sagte Sir Claude. »Das ist ja schade.« Dann entdeckte er eine mögliche Verbindung zwischen Lesen und Rennen. »Ihre Majestät die Königinmutter war immer ganz begeistert von Dick Francis.«

»In der Tat«, sagte die Queen. »Ich habe eins oder zwei seiner Bücher gelesen, aber sie bringen einen nicht besonders weit. Swift, habe ich entdeckt, schreibt sehr gut über Pferde.«

Sir Claude nickte bedächtig, da er Swift nicht gelesen hatte und hier offenbar nicht weiterkam.

Nur einen Augenblick saßen sie sich schweigend gegenüber, doch das reichte für Sir Claude, um einzuschlafen. Das war der Queen noch nicht oft passiert, und wenn doch (als ein Minister beispielsweise bei irgendeiner Zeremonie neben ihr einnickte), da hatte sie barsch und verständnislos reagiert. Sie war schließlich auch oft versucht einzuschlafen, wer wäre das in ihrer Stellung nicht; doch jetzt lauschte sie, anstatt den alten Mann zu wecken, nur seinem mühsamen Schnaufen und fragte sich, wie lange es wohl noch dauern würde, bis die Altersschwäche auch sie so übermannte. Sir Claude war mit einer Botschaft zu ihr gekommen, die sie verstanden hatte und über die sie verärgert war, aber vielleicht war er auch selbst eine Botschaft, Vorzeichen einer unerfreulichen Zukunft.

Sie nahm ihr Notizbuch vom Schreibtisch und ließ es auf den Boden fallen. Sir Claude erwachte nickend und lächelnd, als nähme er eine Äußerung der Queen zur Kenntnis.

»Wie geht es mit Ihren Memoiren voran?«, fragte sie. Sir Claudes Erinnerungen waren nun schon so lange in Arbeit, dass im Haushalt darüber gescherzt wurde. »Wie weit sind sie gediehen?«

»Ach, das geht nicht so Schritt für Schritt voran, Ma'am. Man arbeitet jeden Tag hier und da ein bisschen daran.«

Das tat er natürlich nicht, und eigentlich wollte er mit dem, was er nun sagte, nur weiteren forschenden königlichen Fragen zuvorkommen. »Haben Eure Majestät je ans Schreiben gedacht?«

»Nein«, antwortete die Queen, doch das war gelogen. »Wo sollte man dafür die Zeit finden?«

»Ma'am haben ja auch die Zeit zum Lesen gefunden.«

Das war ein Tadel, und Tadel mochte die Queen gar nicht, aber im Augenblick sah sie darüber hinweg.

»Was sollte man denn wohl schreiben?«

»Eure Majestät haben ein interessantes Leben geführt.«

»Ja«, sagte die Queen. »Das hat man.«

In Wahrheit hatte Sir Claude überhaupt keine Vorstellung, worüber oder ob die Queen überhaupt schreiben sollte, er hatte den Vorschlag nur gemacht, um sie vom Lesen abzubringen und weil es nach seiner Erfahrung zum Schreiben selten wirklich kam. Es war eine Sackgasse. Er schrieb jetzt seit zwanzig Jahren an seinen Memoiren und hatte noch keine fünfzig Seiten zu Papier gebracht.

»Genau«, sagte er überzeugt. »Ma'am müssen schreiben. Aber wenn ich Eurer Majestät einen Rat geben darf? Fangen Sie nicht am Anfang an. Den Fehler habe ich nämlich begangen. Fangen Sie in der Mitte an. Chronologie wirkt nur abschreckend.«

»Hatten Sie noch etwas auf dem Herzen, Sir Claude?«

Die Queen schenkte ihm ihr breites Lächeln. Das Gespräch war zu Ende. Wie die Queen das genau mitteilte, war Sir Claude immer ein Rätsel geblieben, aber es war stets so deutlich, als hätte eine Glocke geläutet. Er rappelte sich hoch, als der Adjutant die Tür öffnete, neigte den Kopf, drehte sich dann an der Tür um, neigte den Kopf erneut und humpelte langsam den Korridor entlang, mit seinen beiden Gehstöcken, von denen einer ein Geschenk der Königinmutter war.

Im Empfangszimmer öffnete die Queen das Fenster etwas weiter, um den Wind vom Garten hereinwehen zu lassen. Der Adjutant kehrte zurück, und mit hochgezogenen Augenbrauen deutete die Queen auf den Stuhl, den Sir Claude benutzt hatte, wo nun ein feuchter Fleck den Satin verdunkelte. Stumm trug der junge Mann den Stuhl hinaus, während die Queen ihr Buch und ihre Strickjacke nahm, um sich in den Garten zu begeben.

Als der Diener mit einem anderen Stuhl zurückkehrte, war sie auf die Terrasse getreten. Er stellte den Stuhl ab und rückte mit der Routine langer Übung rasch alles im Raum zurecht, wobei er das Notizbuch der Queen auf dem Boden entdeckte. Er hob es auf, doch bevor er es auf den Schreibtisch zurücklegte, überlegte er einen Augenblick, ob er in Abwesenheit Ihrer Majestät wohl einen kurzen Blick hineinwerfen könnte. Nur dass just in diesem Moment Ihre Majestät wieder in der Terrassentür stand.

»Vielen Dank, Gerald«, sagte sie und streckte die Hand aus.

Er gab ihr das Notizbuch, und sie ging nach draußen.

»Mist«, sagte Gerald. »Mist, Mist, Mist.«

Der selbstkritische Ton war nicht unangebracht, denn innerhalb weniger Tage wartete er nicht mehr Ihrer Majestät auf, gehörte nicht einmal mehr zum königlichen Haushalt, sondern robbte mit seinem längst vergessenen Regiment im Regen über die Moore Northumberlands. Die Schnelligkeit und Rücksichtslosigkeit dieser fast an die Tudors gemahnenden Degradierung transportierte, wie Sir Kevin sich ausgedrückt hatte, die richtige Botschaft und setzte allen Gerüchten altersschwachen Verfalls ein Ende. Ihre Majestät war wieder ganz sie selbst.

Nichts von dem, was Sir Claude vorgebracht hatte, war von Gewicht gewesen, dennoch musste sie noch an dem Abend in der Royal Albert Hall daran denken, als ein spezielles Promenadenkonzert zu ihren Ehren gegeben wurde. Musik war für sie bisher nie ein Trost gewesen, eher eine Verpflichtung, das übliche Repertoire von Konzerten, denen sie beiwohnen musste, war ihr vertraut. Heute Abend allerdings schien ihr die Musik bedeutsamer.

Das war eine Stimme, dachte sie, als ein Junge ein Klarinettensolo spielte: Mozart – eine Stimme, die jeder hier im Saal erkannte, obwohl Mozart seit zweihundert Jahren tot war. Und sie erinnerte sich an Helen Schlegel in *Wiedersehen in Howards End*, die beim Konzert in der Queen's Hall Bilder zu Beethovens Klängen malt, denn auch Beethoven hatte eine Stimme, die jedermann kannte.

Der Junge kam zum Ende, das Publikum applaudierte, und auch sie beugte sich klatschend zu einem Mitglied ihrer Gesellschaft, als wollte sie ihre Anerkennung teilen. Doch eigentlich wollte sie sagen, so alt sie auch war, so berühmt sie auch war – niemand kannte ihre Stimme. Und im Wagen, der sie nach Hause brachte, sagte sie plötzlich: »Ich habe keine Stimme.«

»Wundert mich gar nicht«, sagte der Herzog. »Viel zu heiß. Der Hals, was?«

Es war eine stickige Nacht, und sie erwachte, ungewöhnlich für sie, in den frühen Morgenstunden und konnte nicht wieder einschlafen.

Als der Polizist im Garten das Licht angehen sah, schaltete er vorsichtshalber sein Mobiltelephon an.

Sie hatte ein Buch über die Brontë-Schwestern und ihre schwere Kindheit gelesen, doch sie glaubte kaum, darüber wieder einschlafen zu können, und stieß auf der Suche nach anderer Lektüre am Rand des Bücherregals auf den Roman von Ivy Compton-Burnett, den sie vor so langer Zeit im Bücherbus ausgeliehen und von Mr. Hutchings geschenkt bekommen hatte. Er war ihr damals sehr zäh erschienen und hatte sie beinahe einschlafen lassen, fiel ihr ein, also würde es vielleicht jetzt wieder helfen.

Aber weit gefehlt: Das Buch, das ihr damals so langatmig vorgekommen war, wirkte nun erfrischend knapp, trocken, aber auf bissige Weise, und Dame Ivys nüchterner Tonfall ähnelte beruhigend ihrem eigenen. Ihr ging auf (und sie schrieb es am Morgen nieder), dass Lesen unter anderem auch eine Fertigkeit war, die sie inzwischen offenbar trainiert hatte. Sie konnte den Roman leicht und mit großem Genuß lesen, über Bemerkungen (Witze konnte man sie kaum nennen) lachen, die sie beim ersten Mal fast nicht registriert hatte. Und das ganze Buch hindurch hörte sie die Stimme Ivy Compton-Burnetts, unsentimental, streng und weise. Sie hörte die Stimme so deutlich, wie sie am vorhergehenden Abend Mozarts Stimme gehört hatte. Sie klappte das Buch zu. Und noch einmal sprach sie es laut aus: »Ich habe keine Stimme.«

Und irgendwo im westlichen London, wo diese Dinge aufgezeichnet werden, fand eine ausdruckslos transkribierende Schreibkraft des Geheimdiensts diese Bemerkung eigenartig und sagte wie zur Antwort: »Na, meine Liebe, wenn *du* keine hast, dann weiß ich nicht, wer sonst.«

Im Buckingham-Palast wartete die Queen einige Augenblicke, ehe sie das Licht ausknipste, und der Polizist unter dem Trompetenbaum im Palastgarten sah das Licht ausgehen und schaltete sein Handy aus.

Im Dunkeln kam die Queen zu der Einsicht, dass sie tot nur noch in der Erinnerung der Menschen existieren würde. Sie, die doch nie jemandem untertan gewesen war, wäre dann mit allen auf gleicher Höhe. Lesen konnte daran nichts ändern – Schreiben vielleicht.

Hätte man sie gefragt, ob Lesen ihr Leben bereichert habe, so hätte sie geantwortet, ja, zweifellos, aber ebenso überzeugt hätte sie hinzugesetzt, dass es ihrem Leben auch jedes Ziel genommen hatte. Sie war einmal eine selbstsichere, entschlossene Frau gewesen, die um ihre Pflichten wusste und gewillt war, sie so lange wie möglich zu erfüllen. Jetzt war sie allzu oft unentschlossen. Lesen war nicht Tun, das war immer schon das Problem gewesen. Und sie war vielleicht alt geworden, aber immer noch eine Frau der Tat.

Sie knipste das Licht wieder an und schrieb in ihr Notizbuch: »Man legt sein Leben nicht in seine Bücher. Man findet es in ihnen.«

Dann schlief sie ein.

In den folgenden Wochen las die Queen merklich weniger, wenn überhaupt noch. Sie war nachdenklich, vielleicht sogar geistesabwesend, aber nicht, weil sie in Gedanken bei ihrer Lektüre war. Sie trug keine Bücher mehr mit sich herum, und die Bücherstapel, die sich auf ihrem Schreibtisch angesammelt hatten, wurden in Regale einsortiert, in die Bibliotheken zurückgebracht oder anderweitig verteilt.

Aber mit oder ohne Lesen verbrachte sie doch viele Stunden am Schreibtisch, sah ihre Notizbücher durch und schrieb gelegentlich etwas hinein, obwohl sie ahnte, ohne es sich gänzlich einzugestehen, dass ihr Schreiben auf noch weniger Begeisterung stoßen würde als ihr Lesen. Wenn also jemand an die Tür klopfte, schob sie alles rasch in eine Schublade, bevor sie »herein« sagte.

Doch sie stellte fest, dass sie immer, wenn sie etwas aufgeschrieben hatte, und war es auch nur eine kurze Bemerkung ins Notizbuch, so froh war wie früher nach einer ersprießlichen Lektüre. Und wieder wurde ihr klar, dass sie nicht einfach nur Leserin sein wollte. Lesen war nicht viel mehr als Zuschauen, Schreiben jedoch war Tun, und Tun war ihre Pflicht.

Inzwischen verbrachte sie viel Zeit in der Bibliothek, vor allem auf Schloss Windsor, ging ihre alten Terminkalender durch, die Erinnerungsalben ihrer zahllosen Besuche, ihr persönliches Archiv.

»Suchen Eure Majestät nach etwas ganz Bestimmtem?«, fragte der Bibliothekar, als er ihr einen weiteren Stapel Material herangeschafft hatte.

»Nein«, sagte die Queen. »Man versucht sich nur zu erinnern, wie es war. Obwohl man nicht so genau weiß, was ›es‹ ist.«

»Nun, wenn Eure Majestät sich erinnern, dann werden Sie es mich wissen lassen, hoffe ich. Oder noch besser, Ma'am, Sie werden es aufschreiben. Eure Majestät sind ein lebendes Archiv.«

Sie hatte zwar das Gefühl, das hätte er auch taktvoller ausdrücken können, doch sie wusste, was er meinte, und wurde außerdem schon wieder von jemandem aufgefordert zu schreiben. Das wurde mittlerweile beinahe zu einer Verpflichtung, und darin war sie immer sehr gut gewesen, bis sie angefangen hatte zu lesen zumindest. Doch zum Schreiben oder zum Veröffentlichen gedrängt zu werden waren immer noch zwei Dinge, und zu letzterem hatte sie noch niemand aufgefordert.

Dass die Bücher vom Schreibtisch verschwanden und er wieder so etwas wie Ihrer Majestät ungeteilte Aufmerksamkeit beanspruchen konnte, war Sir Kevin sehr willkommen, und mit ihm dem gesamten Haushalt. Die Pünktlichkeit der Queen blieb zwar mangelhaft, die Garderobe eine Spur nachlässig (»Diese Strickjacke würde ich verbieten«, sagte ihre Zofe), doch Sir Kevin teilte die allgemeine Ansicht, dass Ihre Majestät trotz dieser hartnäckigen Verfehlungen offenbar ihre Besessenheit von Büchern überwunden und ins normale Leben zurückgefunden hatte.

In jenem Herbst verbrachte sie einige Tage in Sandringham, da ein königlicher Besuch in der Stadt Norwich anstand. In der Kathedrale sollte ein Gottesdienst gefeiert werden, gefolgt von einem ›Bad in der Menge‹ in der Fußgängerzone und der Eröffnung einer neuen Feuerwache, ehe sie schließlich zum Mittagessen in der Universität von East Anglia erwartet wurde.

Dort saß sie zwischen dem Vizekanzler und dem Professor für Kreatives Schreiben und war leicht überrascht, als sich eine sehr vertraute rote Hand mit einem knochigen Gelenk über ihre

Schulter schob, um den Krabbencocktail zu servieren.

»Hallo, Norman«, sagte sie.

»Eure Majestät«, entgegnete Norman ganz korrekt und legte auch dem Lord Lieutenant formvollendet auf, ehe er weiterging.

»Eure Majestät kennen Seakins, Ma'am?«, fragte der Professor für Kreatives Schreiben.

»Früher einmal«, sagte die Queen, ein wenig traurig darüber, dass Norman es anscheinend nicht weit gebracht hatte und wieder in der Küche gelandet war, wenn auch nicht in ihrer.

»Wir fanden«, sagte der Vizekanzler, »dass es für unsere Studenten ein besonderes Vergnügen wäre, wenn sie beim Essen servieren dürften. Sie werden natürlich dafür bezahlt, und es ist mit Sicherheit eine bereichernde Erfahrung.«

»Seakins«, sagte der Professor, »ist ein vielversprechender junger Mann. Er hat gerade seinen Abschluss gemacht und gilt als eine unserer Erfolgsgeschichten.«

Die Queen war ein wenig verstimmt, dass Norman trotz ihres strahlenden Lächelns beim Servieren des *Bœuf en croûte* offenbar entschlossen war, ihrem Blick auszuweichen, ebenso beim Nachtisch, einer *Poire belle-Hélène*. Schließlich ging ihr auf, dass Norman aus irgendeinem Grund schmollte, ein Benehmen, das sie selten antraf, höchstens bei kleinen Kindern oder Ministern ihres Kabinetts. Untertanen schmollten selten in Gegenwart der Queen, dazu hatten sie kein Recht, und vor Zeiten wären sie deswegen im Tower gelandet.

Noch vor ein paar Jahren hätte sie gar nicht bemerkt, was Norman oder sonst jemand tat, und wenn es ihr jetzt auffiel, dann nur, weil sie mehr über menschliche Gefühle wusste und sich in die Lage anderer Menschen versetzen konnte. Aber das erklärte immer noch nicht, warum er so beleidigt war.

»Bücher sind etwas Herrliches, nicht wahr?«, sagte sie zum Vizekanzler, der zustimmte.

»Auch wenn sich das vielleicht eher nach einem Steak anhört«, fuhr sie fort, »sie machen einen zarter.«

Wieder stimmte er zu, obwohl er keine Ahnung hatte, worauf sie hinauswollte.

»Ob Sie«, und damit wandte sie sich an ihren anderen Tischherrn, »als Lehrer für Kreatives Schreiben wohl zustimmen würden, dass, wenn Lesen einen weicher macht, Schreiben das Gegenteil bewirkt? Zum Schreiben muss man hart sein, oder?« Der Professor war überrascht, über sein Fachgebiet sprechen zu müssen, und so fehlten ihm einen Augenblick die Worte. Die Queen wartete. »Sagen Sie es mir«, wollte sie drängen. »Sagen Sie mir, dass ich Recht habe.« Aber nun erhob sich der Lord Lieutenant, um sie willkommen zu heißen, und alle Gäste erhoben sich mit ihm. Niemand würde es ihr sagen, dachte sie. Wie das Lesen würde sie auch das Schreiben auf eigene Faust angehen müssen.

Aber nicht ganz, und so wird nach dem Essen nach Norman gesandt, und die Queen, deren Verspätungen inzwischen sprichwörtlich sind und im Zeitplan berücksichtigt werden, lässt sich eine halbe Stunde lang von seiner akademischen Laufbahn berichten, auch über die Umstände, die ihn an die Universität von East Anglia gebracht haben. Es wird vereinbart, dass er am nächsten Tag nach Sandringham kommen soll, denn die Queen ist der Meinung, da er nun zu schreiben begonnen hat, kann er womöglich wieder von Nutzen sein.

Von einem Tag auf den anderen entließ sie jedoch jemand anderen, und als Sir Kevin am nächsten Morgen in sein Büro kam, fand er seinen Schreibtisch bereits geräumt. Auch wenn Normans Universitätsstudium sich als vorteilhaft erwiesen hatte, so wurde Ihre Majestät doch nicht gerne hintergangen, und auch wenn der Berater des Premierministers der wahre Schuldige war, traf Sir Kevin doch die Strafe. Früher einmal hätte sein Weg zum Schafott geführt; heutzutage bekam er nur ein Flugticket nach Neuseeland, wo er zum Hochkommissar ernannt wurde. Auch ein Schafott, nur dauerte es etwas länger.

Zu ihrer eigenen leichten Überraschung wurde die Queen achtzig. So ein Geburtstag verstrich natürlich nicht unbemerkt, und verschiedene Feierlichkeiten wurden arrangiert, manche mehr zu Ihrer

Majestät Gefallen, manche weniger. Ihre Berater sahen den Geburtstag vor allem als eine weitere Möglichkeit, die Monarchie bei der stets launischen Bevölkerung beliebter zu machen.

So war es nicht besonders überraschend, dass auch die Queen selbst eine Feier geben und dazu all jene versammeln wollte, die ihr im Laufe der Jahrzehnte als Berater gedient hatten. Es war also praktisch eine Feierstunde des Kronrates, zu dessen Mitglied man auf Lebenszeit ernannt wurde, wodurch er sich zu einer umfänglichen und schwer zu handhabenden Körperschaft ausgewachsen hatte, die selten in voller Runde zusammenkam, und dann nur zu bedeutsamen Anlässen. Aber nichts sprach dagegen, dachte die Queen, sie alle zum Tee einzuladen, und zwar zu einem richtigen Tee, mit Schinken, Zunge, Senf und Kresse auf den Sandwiches, mit Scones, mit Kuchen und sogar mit Trifle. Viel besser als ein Abendessen, fand sie, und gemütlicher.

Niemand war um Abendgarderobe ersucht worden, auch wenn Ihre Majestät so makellos gepflegt erschien wie in alten Tagen. Aber wie viel Rat sie im Lauf der Jahre erhalten hatte, dachte sie, als sie den Blick über die versammelte Menge schweifen ließ; so viele hatten ihn erteilt, dass nur einer der größten und prächtigsten Säle des Palastes sie alle beherbergen konnte und die üppigen Leckereien zum Tee in den angrenzenden Salons angerichtet wurden. Sie schlenderte fröhlich zwischen ihren Gästen umher, ohne Unterstützung eines anderen Mitglieds der königlichen Familie, von denen zwar auch etliche zum Kronrat gehörten, die aber nicht eingeladen waren. »Ich sehe auch so genug von ihnen«, sagte sie, »wohingegen ich Sie alle nie zu sehen bekomme, und auch Sie – abgesehen von meinem Tod – kaum Gelegenheit haben werden, einander alle zu sehen. Probieren Sie unbedingt das Trifle. Es ist sündhaft gut.« Selten war sie so vortrefflicher Laune gewesen.

Die Aussicht auf einen anständigen Tee hatte die Höchst Ehrenwerten Kronräte in weit größerer Anzahl zum Kommen bewegt, als man erwartet hatte: Dinner wäre eine Pflichtübung gewesen, Tee jedoch war ein Vergnügen. Die Versammlung war so groß, dass zu wenig Stühle zur Verfügung standen und die Dienerschaft hastig hin und her eilte, bis alle Sitzgelegenheiten hatten, doch auch das gehörte zum Amüsement. Viele saßen auf den üblichen vergoldeten Feststühlen, aber einige fanden sich auch auf einer unbezahlbaren Louis-Quinze-Bergère oder einem Holzstuhl mit eingebranntem Monogramm vom Korridor wieder, und ein ehemaliger Lordkanzler saß gar auf einem kleinen Hocker mit Korksitz, den man aus einem der Badezimmer herbeigeschafft hatte.

Die Queen überwachte das Treiben in aller Ruhe, zwar nicht gerade vom Thron aus, aber immerhin aus dem größten Fauteuil aller Anwesenden. Sie hatte ihre Tasse Tee mitgebracht, nippte daran und plauderte, bis es sich auch der letzte Gast bequem gemacht hatte.

»Ich weiß ja, dass ich all die Jahre gut beraten wurde, doch war mir nicht klar, von wie vielen. Was für ein Auflauf!«

»Vielleicht, Ma'am, sollten wir alle gemeinsam ›Happy Birthday‹ singen!«, sagte der Premierminister, der natürlich in der ersten Reihe saß.

»Wir wollen nicht gleich überschwänglich werden«, sagte Ihre Majestät. »Es stimmt zwar, dass ich achtzig geworden bin und dies so eine Art Geburtstagsfeier ist. Aber was es zu feiern gibt, weiß man nicht so genau. Das Gute daran ist immerhin, nun ein Alter erreicht zu haben, in dem sich sterben lässt, ohne dass die Menschen allzu schockiert sein müssten.«

Darüber wurde höflich gelacht, und auch die Queen selbst lächelte. »Ich glaube«, sagte sie, »an dieser Stelle wäre der Ruf ›nein, nein‹ angebrachter.«

Jemand tat ihr den Gefallen, es gab noch mehr selbstzufriedenes Gelächter, da sich die Vornehmsten des Landes darin gefielen, von der Ersten im Lande geneckt zu werden.

»Man kann, wie Sie alle wissen, auf eine lange Regierungszeit zurückblicken. In mehr als fünfzig Jahren habe ich zehn Premierminister, sechs Erzbischöfe von Canterbury, acht Sprecher des Unterhauses und, auch wenn diese Statistik Ihrer Ansicht nach vielleicht nicht hierher gehört, dreiundfünfzig Corgis erlebt, um nicht zu sagen überlebt.« (Gelächter.) »Ein Leben, wie Lady Bracknell sagt, voll der Vorkommnisse.«

Das Publikum lächelte wohlgefällig, gelegentlich vergnügt glucksend. Das war ja ein bisschen wie in der Schule, jedenfalls in der Grundschule.

»Und natürlich geht es immer weiter, keine Woche vergeht, in der nicht irgendetwas Interessantes geschieht, ein Skandal, eine Vertuschung, vielleicht sogar ein Krieg. Und weil man Geburtstag hat, darf jetzt niemand auch nur daran denken, verärgert dreinzuschauen« – (der Premierminister betrachtete die Decke, der Innenminister den Teppich) – »denn man hat eben einen weiten Blickwinkel, und es war immer schon so. Mit achtzig gibt es keine Ereignisse mehr, nur noch Wiederholungen.

Doch wie viele von Ihnen wissen, hat Verschwendung mir schon immer missfallen. In einer nicht ganz frei erfundenen Darstellung meiner Person laufe ich abends durch den Buckingham-Palast und knipse das Licht aus, womit wohl angedeutet werden soll, man sei geizig, auch wenn man solches Verhalten heute eher mit Verantwortung für das Weltklima begründen könnte. Aber wenn man wie ich eben Verschwendung missbilligt, dann muss man einfach an die vielfältigen Erfahrungen denken, die ich machen durfte, viele davon ganz einzigartig, die Ernte eines Lebens, das mich oft, wenn auch nur als Zuschauerin, nah ans Geschehen gebracht hat. Die meisten dieser Erfahrungen«, und hier tippte sich Ihre Majestät an den makellos frisierten Kopf, »sind hier oben verwahrt. Und man möchte sie eben nicht gern nutzlos vergehen sehen. Die Frage ist also, was soll damit geschehen?«

Der Premierminister öffnete den Mund, als wollte er antworten, und erhob sich sogar halb von seinem Sitz.

»Das war«, sagte die Queen, »eine rhetorische Frage.«

Er sank wieder auf den Stuhl.

»Wie manche von Ihnen wissen, bin ich in den letzten Jahren begeisterte Leserin geworden. Bücher haben mein Leben in einer Weise bereichert, die nicht zu erwarten war. Aber auch Bücher bringen einen irgendwann nicht mehr weiter, und ich glaube, die Zeit ist nun gekommen, den Schritt vom Lesen zum Schreiben zu vollziehen oder es zumindest zu versuchen.«

Wieder zuckte der Premierminister zusammen, und die Queen überließ ihm huldvoll das Wort, nicht ohne zu denken, dass es ihr wohl leider mit Premierministern immer so erging.

»Ein Buch, Eure Majestät. Oh ja. Ja. Erinnerungen an Ihre Kindheit, Ma'am, an den Krieg, die Bombardierung des Palastes, Ihre Zeit bei der WAAF.«

»Beim Transportkorps«, korrigierte die Queen.

»Irgendwo in der Armee jedenfalls«, fuhr der Premierminister eilig fort. »Dann Ihre Ehe, die dramatischen Umstände, unter denen Sie erfuhren, dass Sie Königin geworden waren. Das wird sensationell. Und es steht kaum in Zweifel«, gluckste er, »dass es ein Bestseller werden dürfte.«

»Der Bestseller *überhaupt*«, übertrumpfte ihn der Innenminister. »Weltweit.«

»J-ja nun«, sagte die Queen, »nur dass ich«, und diesen Augenblick genoss sie sichtlich, »ganz bestimmt nicht an so ein Buch gedacht habe. So ein Buch kann schließlich jeder schreiben, und es haben auch schon einige getan – und die Ergebnisse sind meiner Ansicht nach äußerst ermüdend. Nein, ich hatte mir ein ganz anderes Buch vorgestellt.«

Der Premierminister gab sich noch nicht geschlagen, sondern hob höflich interessiert die Brauen. Vielleicht wollte das alte Mädchen ja ein Reisebuch schreiben. Die verkauften sich auch immer ganz gut.

Die Queen lehnte sich zurück. »Ich dachte an etwa Radikaleres. Etwas … Kühneres.«

Wörter wie ›radikal‹ und ›kühn‹ tropften dem Premierminister so häufig von der Zunge, dass er immer noch nicht alarmiert war.

»Hat jemand von Ihnen Proust gelesen?«, fragte die Queen in die Runde.

Jemand Schwerhöriges murmelte »Wen?«, ein paar Hände gingen in die Höhe, darunter nicht die des Premierministers, und als ein junger Angehöriger des Kabinetts solches sah, der Proust gelesen hatte und gerade die Hand heben wollte, ließ er es in der richtigen Annahme bleiben, dass ihm das ganz und gar nicht guttäte.

Die Queen zählte. »Acht, neun – zehn« – die meisten davon, wie sie feststellte, Überbleibsel längst vergangener Kabinette. »Das ist deutlich, wenn auch kaum überraschend. Hätte ich dem Kabinett von Mr. Macmillan diese Frage gestellt, wären sicher ein Dutzend Hände gehoben worden, darunter auch die seine. Doch das ist kaum fair, denn damals hatte ich selbst Proust noch nicht gelesen.«

»Ich habe Trollope gelesen«, sagte ein ehemaliger Außenminister.

»Das hört man gern«, sagte die Queen, »aber Trollope ist nicht Proust.« Der Innenminister, der keinen von beiden gelesen hatte, nickte weise.

»Prousts Buch ist sehr lang, dennoch könnten Sie es in den Sommerferien durchlesen und gelegentlich noch Wasserski fahren. Am Ende des Romans schaut der Erzähler Marcel auf ein Leben zurück, aus dem er im Grunde nicht viel gemacht hat, und entschließt sich, diesen Mangel dadurch auszugleichen, dass er den Roman schreibt, den wir soeben gelesen haben, und dabei einige der Geheimnisse der Erinnerung und des Gedächtnisses zu entschlüsseln. Man selbst hat, ohne sich erheben zu wollen, anders als Marcel einiges aus seinem Leben gemacht, dennoch habe ich wie er das Gefühl, einen Mangel durch Analyse und Reflexion ausgleichen zu müssen.«

»Analyse?«, fragte der Premierminister.

»Und Reflexion«, ergänzte die Queen.

Dem Innenminister war ein Witz eingefallen, der im Unterhaus gut angekommen wäre, und so gedachte er ihn auch hier zu wagen. »Sollen wir daraus schließen, dass Eure Majestät auf die Idee eines solchen Rechenschaftsberichts gekommen sind, weil Sie in einem Buch darüber gelesen haben, und noch dazu in einem französischen? Ha, Ha.«

Zwei oder drei Anwesende reagierten mit leisem Kichern, aber die Queen schien den Witz gar nicht zu bemerken (er war ja auch kaum als solcher zu bezeichnen). »Nein, Herr Innenminister. Aber Bücher legen einem, wie Sie sicher wissen, selten bestimmte Handlungen nahe. Bücher bestätigen einen im Allgemeinen nur in dem, was man – vielleicht unbewusst – bereits zu tun beschlossen hat. Man wendet sich an ein Buch, um seine Überzeugungen bestärkt zu finden. Ein Buch besiegelt sozusagen.«

Einige der Räte, längst nicht mehr in Amt und Würden, gewannen den Eindruck, dies sei nicht die Frau, der sie einmal gedient hatten, und waren daher fasziniert. Doch der größte Teil der Versammelten schwieg eher unbehaglich, denn die wenigsten wussten, wovon sie redete. Und die Queen wusste das auch. »Sie sind verwirrt«, sagte sie ungerührt, »aber ich kann Ihnen versichern, dass Sie so etwas aus Ihrer eigenen Domäne kennen.«

Wieder saßen sie auf der Schulbank, und sie spielte die Lehrerin. »Nach Argumenten für etwas zu suchen, worüber Sie längst entschieden haben, ist doch die unausgesprochene Grundlage eines jeden Untersuchungsausschusses, oder?«

Der junge Minister lachte und wünschte sich sogleich, er hätte es gelassen. Der Premierminister lachte nicht. Wenn dies der Ton war, den die Queen in ihrem Buch anschlagen wollte, dann musste man das Schlimmste befürchten. »Ich finde immer noch, Sie würden besser damit fahren, nur Ihre Geschichte zu erzählen«, wandte er kleinlaut ein.

»Nein«, sagte die Queen. »An leichter Erinnerungskost habe ich keinerlei Interesse. Ich hoffe doch, etwas Nachdenklicheres zustande zu bringen. Und mit nachdenklich meine ich keinesfalls besinnlich oder rücksichtsvoll. Kleiner Scherz.«

Niemand lachte, und das Lächeln des Premierministers war zu einem maskenhaften Grinsen gefroren.

»Wer weiß«, fuhr die Queen fröhlich fort, »vielleicht streife ich sogar das Literarische.«

»Ich würde doch annehmen«, sagte der Premierminister, »dass Eure Majestät über der Literatur stehen.«

»Über der Literatur?«, fragte die Queen. »Wer kann denn über der Literatur stehen? Da könnte man ebenso gut behaupten, über der Menschheit zu stehen. Aber wie ich schon sagte, ist mein Vorhaben nicht in erster Linie literarisch: Es geht um Analyse und Reflexion. Wie *war* das mit den zehn Premierministern?« Sie lächelte strahlend. »Da gibt es allerhand zu reflektieren. Man hat das Land so oft in den Krieg ziehen sehen, dass man sich lieber nicht an jedes Mal erinnern möchte. Auch darüber lässt sich nachdenken.«

Sie lächelte immer noch, doch wenn es ihr jemand gleichtat, dann nur die ältesten Gäste, die nichts mehr zu befürchten hatten.

»Man hat zahlreiche Staatsoberhäupter getroffen und sogar bewirtet, von denen einige unsägliche Schurken und Kanaillen waren, und ihre Gattinnen kaum besser als sie.« Das immerhin wurde mit schuldbewusstem Kopfnicken quittiert.

»Man hat mit seinen Glacéhandschuhen bluttriefende Hände geschüttelt, man hat höflich mit Männern parliert, die eigenhändig Kinder hingemetzelt haben. Man ist durch Blut und Exkremente gewatet; als Königin, so habe ich oft gedacht, bräuchte man vor allem hüfthohe wasserdichte Stiefel. Mir wird oft ein gesunder Menschenverstand nachgesagt, aber das heißt im Grunde nur, dass man mir sonst nicht viel mehr zutraut, und folgerichtig habe ich auf Betreiben meiner verschiedenen Regierungen oft, wenn auch nur passiv, an Entscheidungen mitwirken müssen, die ich für wenig ratsam und oft schändlich erachtete. Manchmal ist man sich dabei vorgekommen wie eine Duftkerze, die einen Regierungsentscheid oder eine bestimmte Politik versüßen oder gar vernebeln soll. Der Monarchie scheint dieser Tage vor allem die Rolle eines Regierungsdeodorants zuzukommen. Ich bin die Königin und das Oberhaupt des Commonwealth, doch gab es in den letzten fünfzig Jahren Zeiten, in denen ich darüber weniger Stolz als Scham empfand. Aber«, und damit erhob sie sich, »wir wollen nicht die Prioritäten aus den Augen verlieren, es handelt sich hier schließlich um eine Feier, wäre also, bevor ich fortfahre, etwas Champagner genehm?«

Der Champagner war superb, doch als der Premierminister sah, dass es sich bei einem der servierenden Pagen um Norman handelte, verdarb ihm das den Genuss, und er schlüpfte rasch hinaus zur nächsten Toilette, wo er mit dem Mobiltelephon den Generalstaatsanwalt anrief. Der Jurist konnte ihn weitgehend beruhigen, und durch dessen Rechtsauskunft ermutigt, verbreitete der Premierminister die frohe Kunde unter seinen Kabinettsmitgliedern. Als Ihre Majestät also schließlich in den Saal zurückkehrte, traf sie auf ein kampfeslustigeres Publikum.

»Wir haben uns über Ihre Bemerkungen unterhalten, Ma'am«, hob der Premierminister an.

»Alles zu seiner Zeit«, sagte die Queen. »Ich bin noch nicht ganz fertig. Sie sollen nicht glauben, was ich zu schreiben beabsichtige und auch schon begonnen habe, sei irgendein billiger Enthüllungsunsinn über das wahre Leben im Palast, wie ihn die Regenbogenpresse so liebt. Nein. Ich habe noch nie ein Buch geschrieben, aber ich hoffe doch, dieses wird«, sie legte eine Pause ein, »über seinen unmittelbaren Bezug hinausgehen und für sich allein stehen, eine Randgeschichte seiner Zeit werden und sich, um Sie ein wenig zu beruhigen, gewiss nicht ausschließlich mit Politik und den historischen Ereignissen meiner Lebenszeit befassen. Ich möchte auch über Bücher und Menschen schreiben. Ein Buch der Umwege. Ich glaube, E.M. Forster hat gesagt: ›Sag Wahrheit ganz, doch sag sie schief – der Umweg bringt Gewinn.‹ Oder war das«, fragte sie wieder in die Runde, »Emily Dickinson?«

Wenig überraschend kam aus der Runde keine Antwort.

»Aber man sollte nicht so viel darüber reden, sonst wird es nie geschrieben.«

Es war dem Premierminister kein Trost, dass die meisten Leute, die ein Buch schreiben zu wollen behaupteten, es zwar nie geschrieben bekamen, dass man aber bei der Queen und ihrem schrecklichen Pflichtgefühl todsicher sein konnte, sie würde es auch tun.

»Nun, Herr Premierminister«, und sie wandte sich mit heiterer Miene an ihn, »Sie wollten gerade etwas sagen?«

Der Premierminister erhob sich. »Auch wenn wir Ihren Absichten großen Respekt entgegenbringen, Ma'am«, sein Tonfall war entspannt und freundlich, »so möchte ich Sie doch daran erinnern, dass Sie eine einzigartige Stellung bekleiden.«

»Das vergesse ich nur selten«, sagte die Queen. »Fahren Sie fort.«

»Der amtierende Monarch hat, kann ich wohl mit Fug und Recht behaupten, noch nie ein Buch veröffentlicht.«

Die Queen wedelte mit dem Zeigefinger in seine Richtung und merkte dabei, dass diese Geste ein bekannter Manierismus Noël Cowards gewesen war. »Das ist nicht ganz richtig, Herr Premierminister. Mein Vorfahr Henry VIII. hat zum Beispiel ein Buch geschrieben. Gegen die Ketzerei. Darum trägt man heute noch den Titel Verteidiger des Glaubens. Und auch meine namensgleiche Vorgängerin Elizabeth I. hat ein Buch verfasst.«

Der Premierminister wollte protestieren.

»Schon gut, ich weiß, das ist nicht ganz dasselbe, aber meine Urgroßmutter Queen Victoria hat ebenfalls ein Buch geschrieben, *Blätter aus dem Tagebuch der Königin Victoria*, ein ziemlich langweiliges Werk, muss man sagen, und so völlig unanstößig, dass es kaum zu ertragen ist. Kein Vorbild, dem man nacheifern möchte. Und dann war da natürlich«, und nun sah die Queen ihren Ersten Minister durchdringend an, »mein Onkel, der Herzog von Windsor. Der hat ein Buch geschrieben: *Eines Königs Geschichte*, die Geschichte seiner Ehe und seiner folgenden Abenteuer. Wenn sonst schon nichts als Präzedenzfall herhalten kann, dann das doch wohl sicher?«

Da der Premierminister sich für genau diesen Fall mit dem Rat des Generalstaatsanwalts gewappnet hatte, lächelte er nun und erhob fast entschuldigend Einspruch. »Ja, Ma'am, da stimme ich Ihnen zu, aber der entscheidende Unterschied ist doch, dass Seine Königliche Hoheit dieses Buch als Herzog von Windsor geschrieben hat. Er konnte es nur schreiben, weil er vorher abgedankt hatte.«

»Ach, habe ich das noch gar nicht gesagt?«, fragte die Queen. »Aber … was glauben Sie denn, warum Sie alle hier sind?«

ALAN BENNETT, 1934 in Leeds geboren, wurde bekannt durch seine TV Comedy-Revue *Beyond the Fringe* sowie durch die 1987 unter dem Titel *Talking Heads* von der BBC gesendeten Monologe. Er ist einer der populärsten britischen Dramatiker. Neben zahlreichen Theaterstücken und seinen Arbeiten für Fernsehen und Rundfunk schreibt Bennett seit Mitte der neunziger Jahre aber auch Prosa – wenn er nicht gerade sein Schwein spazierenführt (siehe Photo oben).

Bücher für souveräne Leser

Alice Munro Der Bär kletterte über den Berg
Drei Dreiecksgeschichten
Ausgerechnet auf einer Beerdigung lernt Meriel Eric kennen und für einen Nachmittag lieben. Rosemary dagegen hatte ihr Leben für Derek geändert, um ihn wieder an Ann zu verlieren. Und Fiona vergisst beinahe ihre Liebe zu Grant – unter dem Titel *An ihrer Seite* jüngst mit Julie Christie verfilmt.
WAT 593. 144 Seiten

Doris Lessing Das Leben meiner Mutter
Das wohl persönlichste Erinnerungsbuch der Nobelpreisträgerin: die nachdenkliche Auseinandersetzung mit zwei eigenwilligen Frauen - ihrer Mutter und sich selbst.
SVLTO. Rotes Leinen. Fadengeheftet. 96 Seiten mit vielen Bildern

D.H. Lawrence Du hast mich angefasst
Die schönsten Liebesgeschichten
Nicht erst mit seinem skandalträchtigen Roman *Lady Chatterleys Liebhaber* warb Lawrence für einen ungezwungenen, freizügigeren Umgang mit der Sexualität; dieses Lebensmotto prägt auch seine Erzählungen.
Ausgewählt von Andreas Paschedag
SVLTO. Rotes Leinen. Fadengeheftet. 128 Seiten

Hans von Trotha Der englische Garten
Noch heute werden unsere Vorstellungen von einer schönen Landschaft durch das Bild einer idealen Natur bestimmt, das die Englischen Gärten des achtzehnten Jahrhunderts entwarfen. Hans von Trotha führt uns durch die Geschichte des Englischen Gartens und zeigt uns die zwölf schönsten Parks.
SVLTO. Rotes Leinen. Fadengeheftet. 144 Seiten mit vielen Bildern

Die souveräne Leserin von Alan Bennett erschien im Herbst 2008
als 155. *SVLTO.*
Die Originalausgabe erschien, in einer leicht veränderten Variante,
2007 in der *London Review of Books*, danach in Buchform unter dem
Titel *The Uncommon Reader* bei Profile in London.

6. Auflage 2008

Verlag Klaus Wagenbach, Emser Straße 40/41, 10719 Berlin
Gesetzt aus der Poliphilus und der Blado.
Umschlaggestaltung Julie August unter Verwendung einer
Photographie © picture alliance. Vorsatzpapier von peyer
graphic, Leonberg. Leinen von Ernstmeier, Herford.
Gedruckt auf chlor- und säurefreiem Papier (Schleipen)
und gebunden bei Kösel, Krugzell.
 Printed in Germany

ISBN 978 3 8031 1254 5